デジタル アーカイブの 新展開

時実象一

はじめに

本書はデジタルアーカイブの鳥瞰図を目指している。こうした鳥瞰図は、現場でデジタルアーカイブに取り組んでいる博物館・美術館員、図書館員、公文書館員、研究者だけでなく、これからデジタルアーカイブに取り組もうとしている学生にも役に立てばと願っている。本書は大きく次の構成になっている。

第1章

日本は自然災害の多い国ではあるが、一九九五年の阪神淡路大震災、二〇一一年の東日本大震災は歴史に記憶され、教訓とすべき出来事であった。後者においては、原子力発電所の大事故も加わり、現在でも事態は収拾していない。しかしこれらの災害、特に東日本大震災がデジタルアーカイブとして、当事者（被災者や支援者）の手により広範に記録された初めてのものとなったのは、特筆されるものであった。

二〇二〇年に世界的に勃発した新型コロナウィルス感染症（COVID-19）は、歴史的にみれば約一〇〇年前のスペイン風邪以来の世界規模のパンデミックであった。これについては研究論文や行政文書がそれぞれの場所で保管され、またテレビ・新聞などのメディアの記録も膨大にある。一方で、あらゆる人々が、何らかの形でこのパンデミックの影響を受けたことを考えると、そうした社会の事象のアーカイブもまた重要となる。本章ではそうした社会のデジタルアーカイブについて取り上げた。

第2章

デジタルアーカイブの主流は文化財のデジタル化である。欧米では、Digital Archiveという語はほとんど使われず、Digital Heritageというが、Heritageとは遺産、特に文化遺産のことである。文化財といえば博物館・美術館であるが、この章では、博物館・美術館の所蔵品がどのようにデジタル化されているか、それがどのように公開されているか、さらには、これらを統合的に検索・閲覧できるジャパンサーチや欧州のヨーロピアーナ、米国のDPLAなどの「ポータル」について解説する。

また、数的にデジタルアーカイブの主要なコンテンツである書籍と写真について紹介する。

第3章
現代文化を牽引するのはメディアである。ここでは新聞、テレビ、映画などのメディアがどのように保存され、アーカイブされているかを見ていく。さらにサブカルチャーとしてのマンガやゲームのアーカイブ状況も紹介する。
同時に最大・最強力のメディアであるウェブが失われないようにアーカイブしているインターネット・アーカイブなどの活動を紹介する。

第4章
デジタルアーカイブまわりの技術で注目すべきは3DとAIであろう。これらを中心に、仮想現実（VR／AR）、IIIFなどデジタルアーカイブに携わる上で知っているべき技術について触れる。

第5章
デジタルアーカイブは使われることによって輝く。教育現場や、市民活動、あるいは研究でデジタルアーカイブが活用されている事例を紹介する。また、企業活動でデジタルアーカイブがどう役立つかについても見ていく。最後に通常はデジタルアーカイブとみられていないが、実は最大のデジタルアーカイブである学術情報について触れる。

第6章

しめくくりとして、記録し保存することの意味とさまざまな困難、デジタル化と素材の関係について考察する。最後に近年の著作権法の動向をまとめ、これがデジタルアーカイブを促進する方向で進んできていることを指摘する。

以上、漏れていることもあるかと思うが、デジタルアーカイブの世界を俯瞰してみよう。

参考書籍

福井健策・吉見俊哉監修『アーカイブ立国宣言』ポット出版、二〇一四—一一—一四、二七一。

時実象一『デジタルアーカイブの最前線』講談社ブルーバックス、二〇一五—〇二—一五、二二四。

柳与志夫『入門 デジタルアーカイブ——まなぶ・つくる・つかう』勉誠出版、二〇一七—一二—一五、一九四。

NPO知的資源イニシアティブ編『デジタル文化資源の活用——地域の記憶とアーカイブ』勉誠出版、二〇一一—〇七—一一、二二四。

岡田一祐『ネット文化資源の読み方・作り方——図書館・自治体・研究者必携ガイド』文学通信、二〇一九—〇八—一〇、二三三。

柳与志夫監修、加藤諭・宮本隆史編『デジタル時代のアーカイブ系譜学』みすず書房、二〇二二—一二—〇五、二八〇。

デジタルアーカイブ・ベーシックス

（1）福井健策監修．数藤雅彦編集『権利処理と法の実務』勉誠出版．二〇一九—〇三—一五，二四〇．
（2）今村文彦監修．鈴木親彦責任編集『災害記録を未来に活かす』勉誠出版．二〇一九—〇八—一五，二七四．
（3）井上透監修．中村覚責任編集『自然史・理工系研究データの活用』勉誠出版．二〇二〇—〇四—二〇，二三三．
（4）高野明彦監修．嘉村哲郎責任編集『アートシーンを支える』勉誠出版．二〇二〇—一一—三〇，二九五．
（5）時実象一監修．久永一郎責任編集『新しい産業創造へ』勉誠出版．二〇二一—〇五—二五，二三八．
（6）数藤雅彦責任編集『知識インフラの再設計』勉誠出版．二〇二二—一一—二五，二四八．

目次

目　次

第1章　災害とデジタルアーカイブ

1—1　新型コロナウィルス感染症をアーカイブする

（1）パンデミックの記録

アルベール・カミュの小説『ペスト』（一九四七年）は当時フランスの植民地であったアルジェリアの町をペストが襲う話であるが、これはまったくの創作である。実際のペストの大流行は一六六五年にイギリスのロンドンで発生し、当時の人口の1／4である一〇万人が死亡したとされる。『ロビンソン・クルーソー』で知られるダニエル・デフォーは、少年時代に見聞きしたこの疫病について『ペストの記憶』を執筆している。この書は二〇二〇年九月にNHK Eテレの『100分de名著』でも取り上げられた。デフォーは疫病に見舞われたロンドンの人々のさまざまな生活、社会についてドキュメンタリー・タッチで描いている。

「ある人は、たちまち身体じゅうに病気の毒がまわり、猛烈な熱、嘔吐、耐え難い頭痛と背中の痛みなどが次々に押し寄せ、あまりの苦痛に絶叫し、狂乱した。」

感染して死んでいく病人の描写、死体を穴に投げ込む埋葬シーン、感染者との接触を避けるため、店でお金を酢に投げ込むエピソード、怪しい薬の宣伝など、中にはフィクションもまじえて書いているので、正確な記録とは言えないものの、パンデミック下の社会を生々しく描写した歴史的な作品である。特効薬のない状況での患者の隔離、ソーシャル・ディスタンシング、酒場や娯楽施設の閉鎖など、現在の新型コロナウィルス感染への世界の対応とまったく同じことを三五〇年前に行っていたとは驚きである。

約一〇〇年前に世界的に流行した「スペイン風邪（スペインインフルエンザ）」では全世界で五億人が感染し、五〇〇〇万人から一億人が死亡したとされている。この死者数は、同時に進行していた第一次世界大戦の死者一〇〇〇万人より多い。このパンデミックで最も有名な写真は米国カンサス州の病院で撮影されたこの写真であろう（図1―1）。

日本では内務省衛生局が作成した『流行性感冒「スペイン風邪」大流行の記録』が公式の記録であるが、まとまった書物としては速水融氏の『日本を襲ったスペイン・インフルエンザ――人類とウイルスの第一次世界戦争』がある程度である。速水氏の著書は各種資料・新聞記事を詳細に分析した力作である。

同書によれば、「西班牙に奇病流行　国王を始め内閣員も感染　奇病患者人口の三割を占む」（大阪毎日新聞、一九一八―〇六―〇八）などと海外の様子が当初報道されていたが、「大垣工場に奇病発生　病原更に不明」（新愛知、一九一八―〇九―二〇）に始まり、各地で「奇病」の報道が相次ぐようになった。この第一波は翌年、冬を越えるころ下火になり、終息した。しかし、次の冬を迎え、「流行性感冒猖獗《しょうけつ》　九州各県下に亘って蔓延　鹿児島県下最も猛烈を極む」（福岡日日新聞、一九二〇―〇一―〇七）と第二派が各地で始まった。この第二波も春を迎えるに従い終息した。速水氏はこの二波の流行の結果の日本での死者数を内地四五万三〇〇〇人、外地（台湾、朝鮮など）二八万七〇〇〇人と推定している。

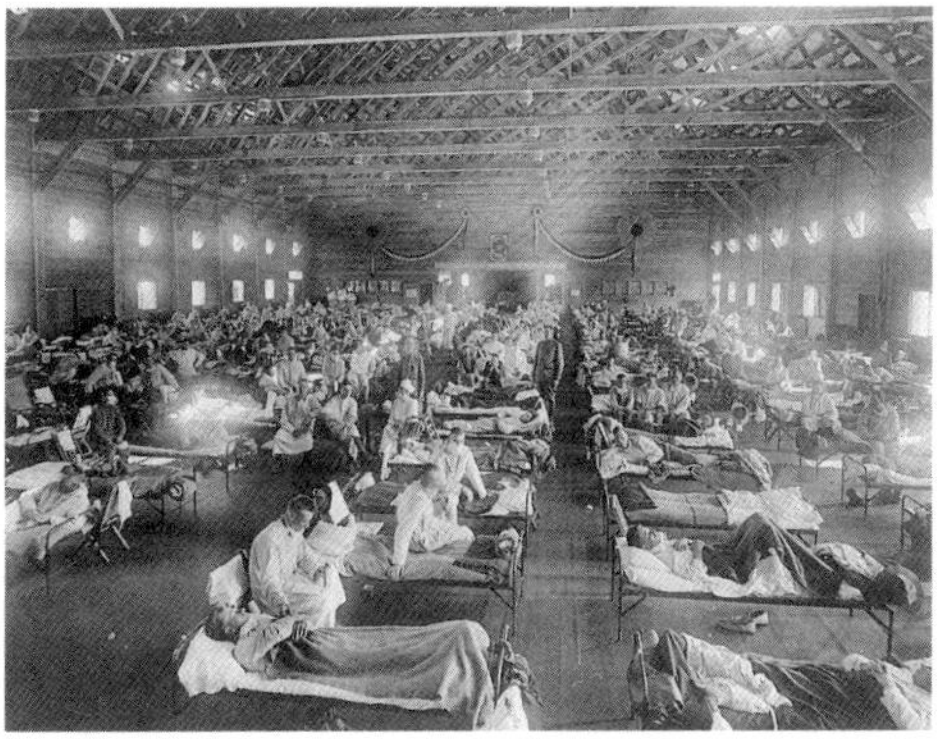

図1-1　スペインインフルエンザ下のカンサス州の病院（1918）（https://commons.wikimedia.org/wiki/File:Emergency_hospital_during_Influenza_epidemic,_Camp_Funston,_Kansas_-_NCP_1603.jpg）(Wikimedia Commons)

　このインフルエンザへの対抗策として取られたのは「マスクの使用、うがいや手洗いの励行、人ごみをさけることなど」で「小学校や中等学校では、罹患者が出れば休校となった。」（速水）と現在の新型コロナ感染とほとんど変わるところがない。

海外ではアルフレッド・W・クロスビーの『史上最悪のインフルエンザ――忘れられたパンデミック』がこの流行の記録としてよく知られている。この題名にあるように、海外でも、また日本でもこのインフルエンザについては長年全く忘れ去られていた。今回の新型コロナウィルス感染拡大に伴って、突然忘却の彼方から呼び戻されたのである[1]。

図1-2　リオデジャネイロ、ファベーラ地区（https://commons.wikimedia.org/wiki/File:2019_Vidigal_Favela.jpg）(Wikimedia Commons)

（2）新型コロナウィルス感染症の記録

二〇二〇年七月一九日に放映されたNHKのBS1スペシャル「ファベーラ　見すてられた街で〝感染大国〟ブラジル4か月の記録」では、ブラジルの首都リオデジャネイロで貧しい人々が住む「ファベーラ」地区（図1―2）の観光ガイド、コズミ・フェリップセン氏が自らスマートフォンのビデオで二月からほぼ毎日記録した画像が紹介された。彼はその途中で自らウィルスに感染したが、検査も治療も受けられず、二週間自宅で寝ていてようやく回復したと語っている。彼の記録を見ると、貧困地区ファベーラを襲った新型コロナウィルス感染がどんなに深刻な被害をもたらしているかをまざまざと知らせてくれる。

テレビ各局では、このように国内外でのコロナ感染下の生活について特集等で報道している。こうしてパンデミック下の社会を記録することが行われている。

図1-3　新聞折り込みチラシの展示

（3）日本の博物館・図書館の挑戦

吹田市立博物館の五月女賢司氏は、新型コロナウイルス感染症（COVID-19）に関連する地域資料の収集を二〇二〇年三月中旬から開始した[2]。コロナ下における商店のチラシ、店舗のお知らせの張り紙、マスク、などさまざまなものを収集している（図1―3）。

1. 各種チラシ
2. ニューズレター（営利組織ほか）
3. ニューズレター（公共施設・非営利組織）

4. 新聞
5. ハガキ・手紙
6. 飲食店関連資料
7. カタログ（営利組織）
8. 医療・保健関連資料
9. 学校関連資料
10. 行政文書
11. 市報
12. 労働組合関連資料
13. 貼紙（営利組織）
14. 貼紙（公共施設・非営利組織）
15. ポスター等（博物館）
16. 立体資料（フェースシールド）
17. 立体資料（マスク）
18. 立体資料（その他）
19. その他

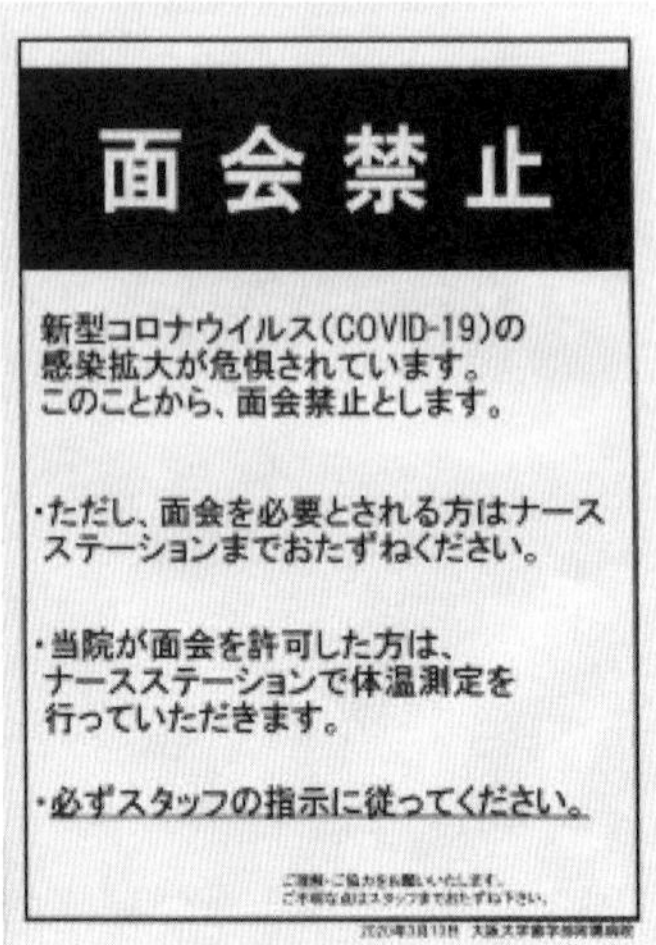

図1-4　大阪大学歯学部附属病院の「面会禁止」の案内

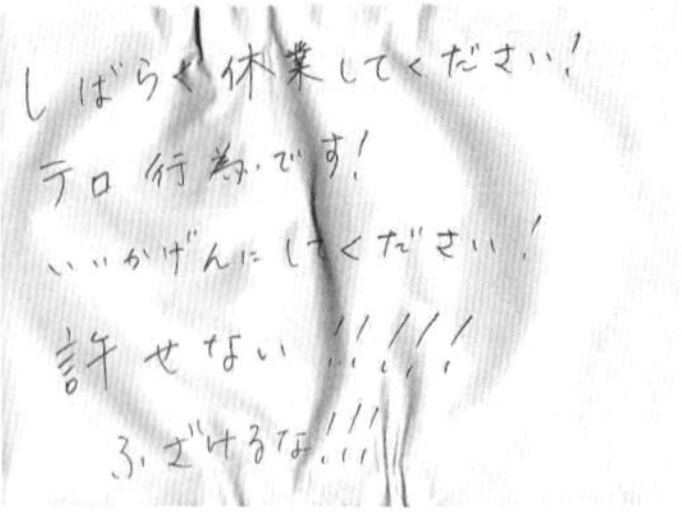

図1-5　自粛警察として行動する市民のはり紙

図1-6　自粛掲載に対抗する車のステッカー

たとえば、ガンで入院されている患者さんや家族の方から提供された「面会禁止」告知の張り紙（図1―4）やいわゆる自粛警察の張り紙（図1―5）、それに対抗するステッカー（図1―6）などもある。歴史的にみると極めて貴重な資料が集まっている。

また、北海道浦幌町立博物館の持田誠氏も、さまざまな告知ビラ、お店のクーポン券など多種多様な資料を集めるとともに、一時品薄となり大問題となったマスクを集めて、「コロナな時代のマスク美術館」を開催した（図1―7）[3]。ここには品薄の中で住民が手作りしたさまざまなデザインのマスクが集められている。

図1-7　北海道浦幌町立博物館のマスク美術館

マスクを提供してくれた人の中には、「妊婦さん応援マスク」を作って妊婦さんに配った、子宝・安産の神様を祭る浦幌神社の宮司さんや、二〇〇枚以上のマスクを自作した町民の方もいる。

持田氏は次のように述べている。

表1-1　新型コロナウィルス感染症の記録をアーカイブしている例

作成者	名称	内容
瀬戸内市立図書館	せとうちデジタルフォトマップ	瀬戸内市内で撮影した市民の写真を集めて公開
山梨県立博物館		政府が配布した「布マスク」や飲食店のテイクアウトメニューのチラシなど、さまざまな日常の資料の収集
豊田市郷土資料館	2020⇒2120プロジェクト	①日々の暮らしに関わる記憶、②仕事に関わる記憶、③学校に関わる記憶、④ステイホームの過ごし方に関わる記憶
関西大学アジア・オープン・リサーチセンター	コロナアーカイブ@関西大学	新型コロナ下における大学のコロナ対策、行事、学内・キャンパス周辺の様子や家族の様子などの写真
左右社	仕事本 わたしたちの緊急事態日記	ミニスーパー店員、専業主婦、タクシー運転手、介護士、留学生、馬の調教師、葬儀社スタッフなど77人の日記アンソロジー
大阪大学大学院文学研究科	阪大生の新型コロナウイルス生活記録〜パンデミックを歩く	電子書籍

「突然、生活必需品になったマスクは、当初、市販品がなくなり、資材が足りないなか、みなさん、手探りで作っていました。それが、時間がたつにつれて、服装などと同じような服飾品として、布を選んだりデザインがきれいになったりと変化していきました。これは、感染症対策から新しく生み出された文化と考えています。」

そのほか表1―1のような活動が報道されている。

（4）デジタルアーカイブ学会の呼びかけ

新型コロナウィルス感染の拡大は、世界中で都市のロックダウン、往来の禁止、ステイホームなど、いままで想像もできなかった社会を出現させた。これらを歴史の一場面として記録する試みが各地で生まれている。

デジタルアーカイブ学会「新型コロナウイルス感染症に関するデジタルアーカイブ研究会」は緊急事態宣言下の二〇二〇年五月一〇日に「COVID-19に関するアーカイブ活動の呼びかけ」を公開した。(4) その中で

（前略）しかし、COVID-19に向き合うためには、感染症の実相や社会のありさまを正確に記録することも欠かせません。事実、今回のCOVID-19禍において、私たちはこれまでの疫病の歴史、たとえば約100年前のパンデミック「スペインかぜ」の記録などから学べる点は多々あるはずです。

しかし今回、過去の疫病の教訓が十分に生かされているとは言えません。今後の社会において COVID-19と相対していくためには、歴史に残るであろう現在の社会の状況を、仔細に記録していくことが肝要です。

そこで私たちは、図書館・博物館・自治体・文書館・大学・産業など、社会状況の記録に関心を持つみなさんに向けて、いま社会が直面しているCOVID-19に関する「アーカイブ活動の推進」を提案します。

と、自分のまわりの事態をアーカイブすることを呼びかけた。これを取材した信濃毎日新聞の社説「考ともに　時代を記録する　生きた証しを消さない」（二〇二一年七月一九日）では、「情報学の専門家らでつくるデジタルアーカイブ学会の研究会は、メディア報道、発信された情報、組織や地域の出来事などを詳細に記録しようと呼び掛ける。」と紹介された。

（5）世界の新型コロナウィルス感染症デジタルアーカイブ

米国を中心とした世界の事例集としては、IFPH-FIHP.が作成したMapping Public History Projects about COVID 19がある。[5] アーカイブを行っている機関を地図にマップしている（図1―8）。

また欧州を中心とした事例集としてはArchives Portal Europe Blogが作成したMemories of the pandemicがある。[6] 日本の事例はデジタルアーカイブ学会SIG「新型コロナウィルス感染症に関するデジタルアーカイブ研究会」が作成した「新型コロナウィルス（COVID-19）感染についてのデジタルアーカイブ（国内）」がある。[7] なお日本以外の各国では新型コロナウィルス感染症と呼ばず、COVID-19と呼ぶのが普通である。

海外でのCOVID-19関連アーカイブ活動には次のようにさまざまなものがある。[8]

①写真・動画
②日記・記録
③オーラル・ヒストリー
④ブログやSNS
⑤各種文書
⑥アンケート
⑦創作物（絵、音楽、パーフォーマンス、手芸など）
⑧物体

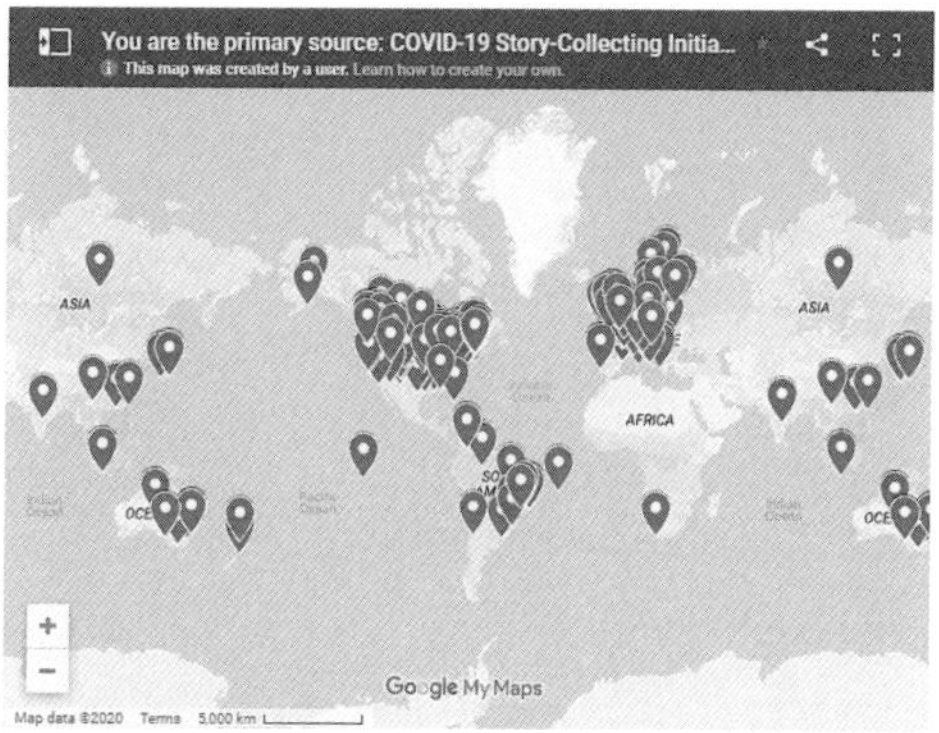

図1-8　Mapping Public History Projects about COVID 19[5]

①写真・動画

新型コロナウィルス感染拡大下の生活を写真や動画

にとることは広く行われている。人の入っていないレストラン、立入禁止のサインなど、ステイホーム中の自撮りなど、さまざまな写真や動画がアーカイブされている（図1―9）。

変わったコレクションとしては、マスクの写真ばかり集めている博物館がある（図1―10）。

また、ニューヨーク市立博物館ではInstagramを利用して、そこに写真を収集している（図1―11）。

②日記・記録

米国の歴史博物館などのアーカイブでは、地域住民に自分たちの体験記（Story）を日記などに記録し、提供するように呼び掛けている。日記がつけやすいようにフォームを提供しているところも多い（図1―12）。

③オーラル・ヒストリー

米国では住民や学生に経験を書いてもらうのでなく、電話から自由に録音してもらったり、あるいは担当者がインタビューしてオーラル・ヒストリー（口述記録）としてアーカイブしているところも多い。こうしたオーラル・ヒストリーはたとえばStory Corpsという専門のアーカイブに保存されている。

図1―13の例は9／11航空機テロ事件で息子を失った人が、新型コロナに感染して死去したが、

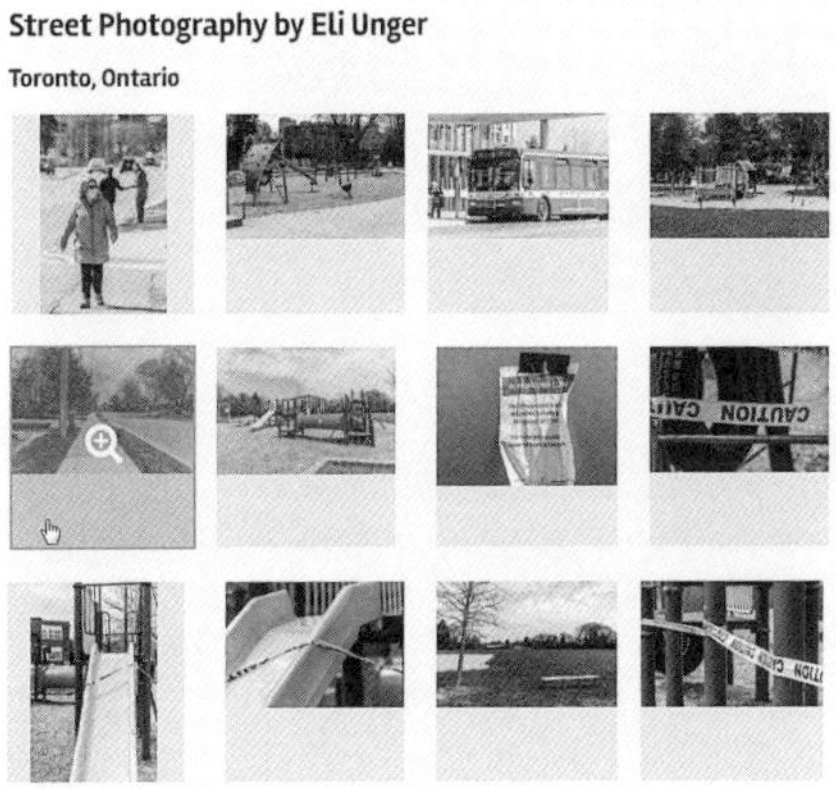

図1-9　写真アーカイブの例
(http://ontariojewisharchives.org/Programs/Current-Projects/COVID-19-Collection)

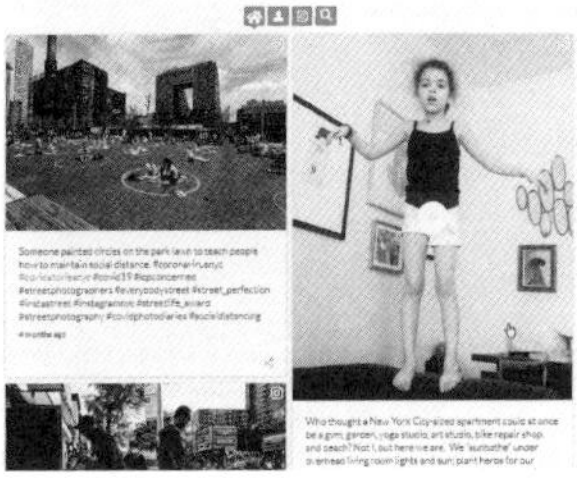

図1-11　Instagramを利用したアーカイブの例(ニューヨーク市立博物館)(https://www.mcny.org/covidstoriesnyc)

図1-10　マスク写真のコレクション(https://www.alpinarium.at/en/erlebnismuseum/schutzmaske-alpinarium)

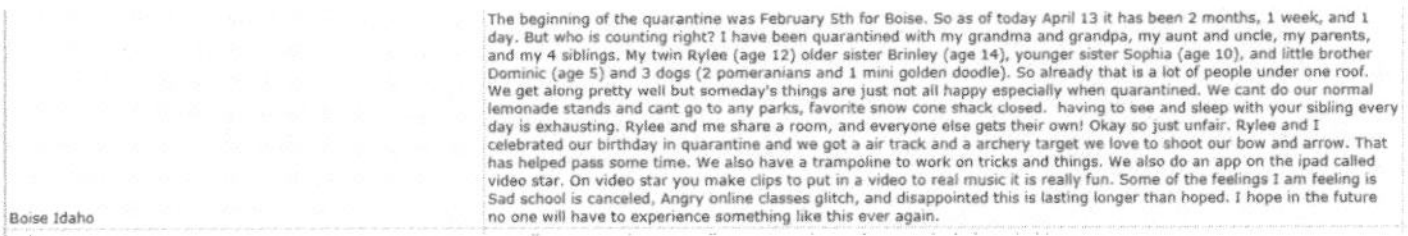

図1-12　経験(Story)アーカイブの例(https://history.idaho.gov/historyathome/)

図1-13　オーラル・ヒストリーの例(https://storycorps.org/stories/touched-by-tragedy-twice-father-who-later-died-from-covid-remembers-losing-son-on-9-11/)

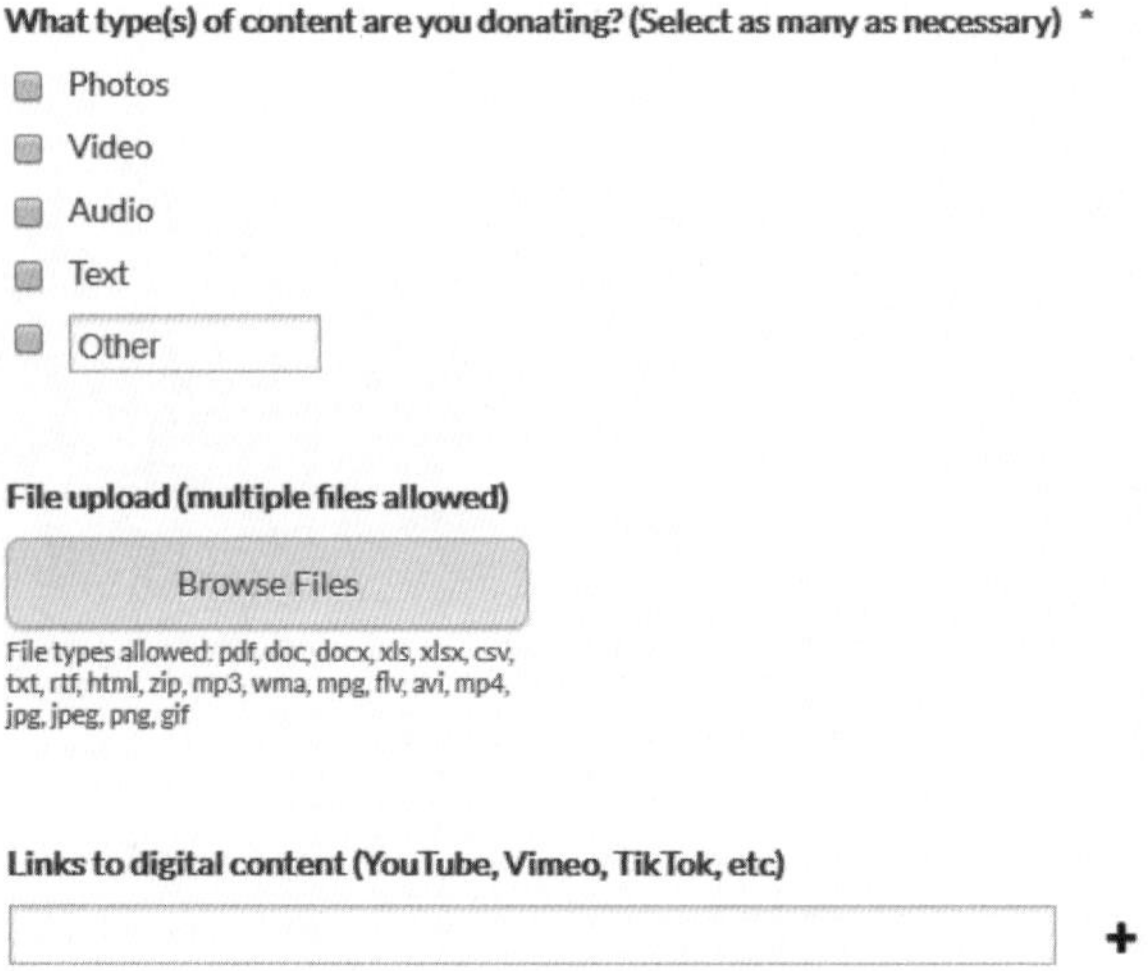

図1-14　SNS収集の例。最後の欄はYouTube等へのリンクを要求している

亡くなる前に息子の思い出を語った録音である。

④ブログやＳＮＳ

新型コロナ下の生活をTwitter, Facebook, YouTubeなどＳＮＳに投稿している人も多い。アーカイブでは、それらをそのまま画面キャプチャで集めたり、ＵＲＬを提供してもらったりしている（図1―14、図1―15）。

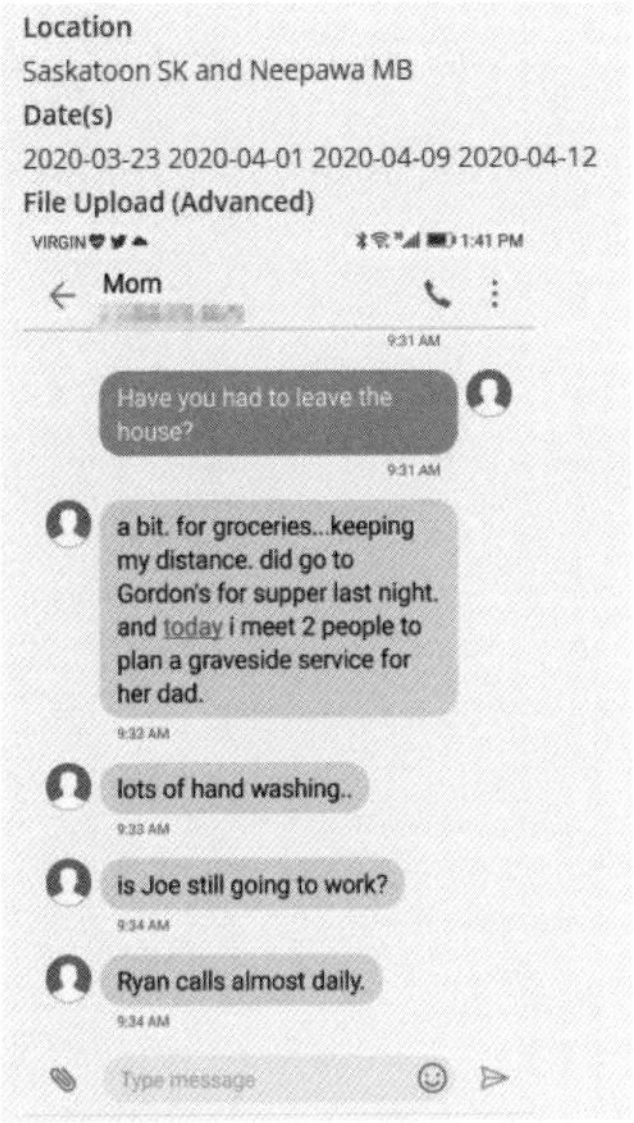

図1-15　チャットの画面コピーの例（https://covid19archive.usask.ca/node/62）

⑤各種文書

地域の役所から住民への通知、大学であれば学生への通知、各種ビラ、などデジタルに限らず集められている（図1―16）。

⑥アンケート

地域住民の生活や学生の生活を知るためにアンケートもしばしば行われている（図1―17）。

⑦創作物

ロックダウン（外出禁止）中に自宅で絵を描いたり、音楽を演奏するなどの創作活動の投稿も行われている。特に子供の絵（図1―18）や詩などが集められている。

⑧物体

ウィルス感染下の生活に関係する物を集めることも行われている。ピッツバーグのHeinz History Centerでは、テイクアウトのメニュー、店のポスター、ロックアウト下の宿題課題表、買い物リスト、などなんでも収集するとしている（図1―19）。もちろんマスクを収集しているところも多い（図1―20）。

ACCEPTED MATERIALS

- **Official university records**: meeting minutes, memos, decisions and statements, correspondence, surveys, reports, publications, Trinity publications, video announcements and broadcasts

図1-16　大学の各種文書を集めている例
(https://libguides.trinity.edu/covid19-collecting-project/what-to-give)

What were your thoughts when the first COVID-19 cases were being diagnosed in China? Did you expect it to spread to the US?

Your answer

What were your thoughts when the first COVID-19 case was diagnosed in the United States?

Your answer

What were your thoughts when the first COVID-19 case was diagnosed in New York State? In your county?

Your answer

図1-17　新型コロナウィルス下の生活アンケート
(https://www.villageofmontgomery.org/village-history/the-coronavirus-pandemic-share-your-story-for-the-future.html)

なお引用した参照文献(8)に対応するJ-STAGE Dataでは、調査した各アーカイブの収集数など詳細なデータが見られる。

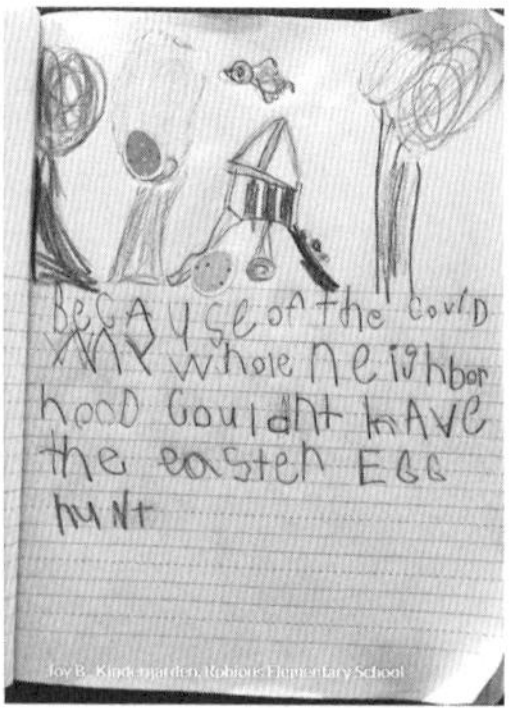

図1-18　創作物の例。リッチモンドのジョイ・B・幼稚園の子どもの絵日記（https://thevalentine.org/studentstorygallery/）

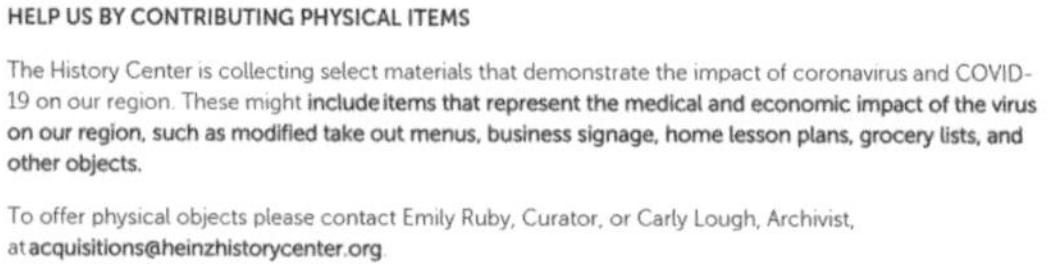

HELP US BY CONTRIBUTING PHYSICAL ITEMS

The History Center is collecting select materials that demonstrate the impact of coronavirus and COVID-19 on our region. These might **include items that represent the medical and economic impact of the virus on our region, such as modified take out menus, business signage, home lesson plans, grocery lists, and other objects.**

To offer physical objects please contact Emily Ruby, Curator, or Carly Lough, Archivist, at **acquisitions@heinzhistorycenter.org**.

図1-19　Heinz History Centerの収集案内（https://www.heinzhistorycenter.org/collections/collecting-materials-related-to-the-coronavirus-covid-19-response）

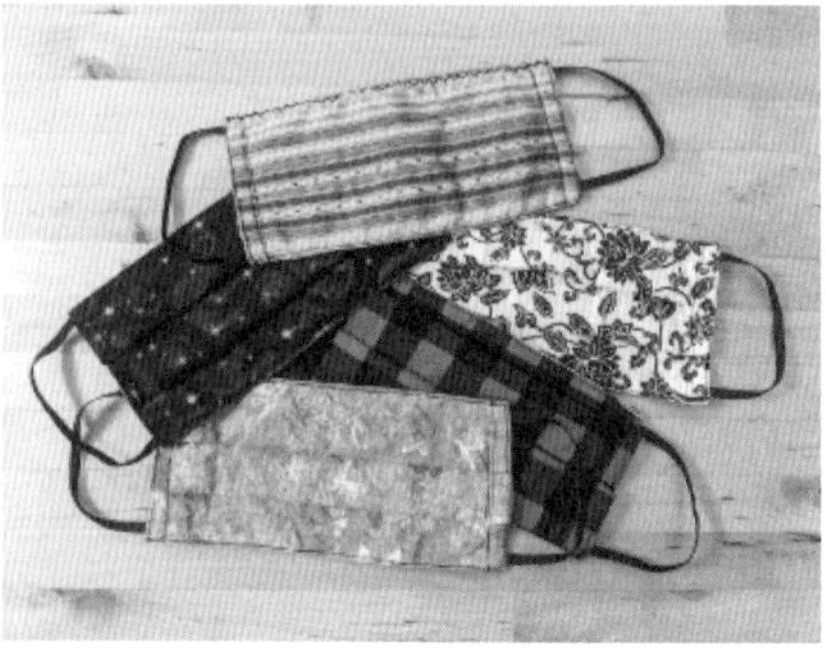

図1-20　マスクの収集例（https://www.capefearmuseum.com/donate-collections/）

1―2　東日本大震災を記録する

(1) その日

二〇一一年三月一一日の一一時、筆者は勤務していた愛知大学（豊橋）の学生を引率して東京千代田区役所の一〇階にある千代田区立図書館を訪問していた。図書館員の話を聞いている最中、突然大きな揺れが襲った。窓の外を見ると、眼下の高速道路の街灯が右に左に大きく揺れている。図書館のわれわれがいたフロアの書架は子供用なのか肩くらいの高さしかなかったためか、書物が揺れて飛び出すようなことはなかったので、この地震についてあまり深刻にはとらえていなかった。

いずれにせよ、見学は取りやめ、階段を歩いて降り、外に出ると、道はまわりのビルから出てきた会社員で混雑していた。地下鉄がとまってしまったので、学生を豊橋に帰すために東京駅ま

図1-21　東京駅の地下ホールで公衆電話の順番を待っている人々（2011年3月11日18時57分。筆者撮影）

図1-22　東京駅の地下ホールで電車の運転再開を待っている人々（2011年3月11日18時49分。筆者撮影）

で歩いた。東京駅前のビルのロビーで、テレビのニュースをやっていたので覗いてみると、仙台近くの海岸を津波が走っているヘリコプター映像を放映していた。その時初めて、これはただごとではないと気づいたのである。新幹線は夜八時頃動いたので、学生は豊橋に帰したが、地下鉄やＪＲが動かない（図1―21、図1―22）。しばらく東京駅で運転再開を待ったが、動きそうにないので、知り合いの会社の事務所まで歩いて行って、その晩は事務所の椅子の上で夜を明かした。

（2）国立国会図書館東日本大震災アーカイブ「ひなぎく」

国立国会図書館（NDL）が運営する「ひなぎく」というサイトがある。[9]

そこで「石巻」と検索すると写真三万五三一六点、音声・動画一四五点を含む四万三四二九件のコンテンツが見つかる（図1—23、図1—24）。

図1-23　国立国会図書館「ひなぎく」のトップ画面

図1-24　「ひなぎく」で「石巻」の「音声動画」を検索した結果画面

B　ビデオ開始後2分35秒(上)　ビデオ開始後4分01秒(下)
A　ビデオ開始後18秒(上)　ビデオ開始後1分01秒(下)

図1-25　石巻市湊地区に押し寄せる津波

「音声・動画」を選択し「石巻市湊地区に押し寄せる津波」の動画[10]を見ると、最初は大雨で道路が川になった、という程度だったが、たちまち水かさが増して車が浮き上がり、ついにはあたり一面濁流にのまれ、撮影者がいた石巻ガス本社ビルの屋上（八mくらいの高さか）でも危険を感じる状況となった。写真でも中央の街路樹が四分後にはまったく水に浸かって見えなくなっていることがわかる（図1―25）。この時の浸水高さは約五mであったとのことである。

（3）東日本大震災は豊富な映像記録が残った初めての災害

東日本大震災では、このような貴重な映像が多数撮影され、残されている。その理

由は、

・ちょうどこのころスマートフォンが普及し始めて、多くの人が写真や動画をとることを始めていた。

・YouTubeをはじめとして、こうした動画を拡散するネットワークが普及してきた。

からである。これを一九九五年の阪神・淡路大震災と比べると、当時はまだスマートフォンは存在せず、デジタルカメラもようやく発売を開始したころであった。したがって動画を記録できたのは、テレビ会社など報道機関に限られ、それも震災後の取材映像が中心である。このような事件の真っただ中の動画が記録されたのは、この東日本大震災が初めてということができる。

この記録も、そのままでは多くの写真や動画の中に埋もれてしまい、記録としてのまとまりがなくなってしまう。この「ひなぎく」のおかげで、震災の全容を一目で把握できるようになった。「ひなぎく」が生まれるきっかけは、二〇一一年、震災の直後に結成された「震災復興会議」のおかげである。復興会議で議長代理を務めた、東京大学教授の御厨貴氏がその生々しい様子を語っている(11)。ここで御厨氏らが起草してまとめられた「復興構想7原則」の第一に、

原則1
失われたおびただしい「いのち」への追悼と鎮魂こそ、私たち生き残った者にとって復興の起点である。この観点から、鎮魂の森やモニュメントを含め、大震災の記録を永遠に残し、広く学術関係者により科学的に分析し、その教訓を次世代に伝承し、国内外に発信する。

とか書かれている。御厨氏によれば、

原則の先にそういうものを設けたのはいろんな理由があったんですけれども、ただ、先ほど、私が言いましたように、そこで思ったのは、あの一晩中テレビやiPadで津波の映像を見て、その恐ろしさというものを十二分に追体験した。その後も市民が撮った映像というものが時々私は目に入りました。こういう記録はいずれどこかに紛れる。残さないと駄目だというふうに思ったのも事実でありまして、したがって、1番目にこれを持ってくるという構想、これに私はイの一番に賛成をしたということがございました。

また、

しかも、その中で現実にアーカイブの発想が重要だというふうに思いましたのが、津波経験の多い東北地方では、江戸時代から津波の恐ろしさを伝承する碑文、これを至るところに建立していた。それが至るところにあったわけですね。しかし、何百年もたちますと、それと分からなくなり、教訓にもならないまま被災地にそれが地震とともに転がり落ちている。道のところに落っこちている。これはなんでこんなところに落っこちているんだなんて地元の人が言っている、そういう状況を私も何度も目にいたしました。

とも語り、アーカイブの現代的な工夫が大切だと述べている。YouTubeやツイッターに人々が投稿したおびただしい記録・画像・映像や内外の報道機関、自治体、官庁の記録、ウェブ・プラットフォームの記録など、震災の記録を大々的に集めることが始まった。こうして集めたコンテンツが「ひなぎく」で検索できるようになった。このことはまさに不幸中のひとつの幸いであったといえる。

(4) NHKアーカイブス、災害

NHKは大震災に際して大量の報道データを製作している。これらの一部はニュースで報道されたり、あるいは特集番組で使用されているが、すべてが放映されているわけではない。「N

HKアーカイブス、「災害」（元「東日本大震災アーカイブス」）では、NHKで放映したニュース・クリップを集めている[12]（図1―26）。同時に、NHKが行った、被災者へのインタビューを、ニュースクリップとあわせて再編集し、地図と連動する形で公開している（図1―27）。インタビューとナレーションはテキストになっている。いわゆるオーラル・ヒストリーである。

図1-26　NHKアーカイブス、災害

図1-27　園児を屋根に避難させて救った、石巻市みづほ第二幼稚園の園長、津田廣明氏のインタビュー

表1-2　東日本大震災関係のデジタルアーカイブ・プロジェクトの一覧

提供機関	名称	URL
国立国会図書館	東日本大震災アーカイブ「ひなぎく」	https://kn.ndl.go.jp/
NHK	NHKアーカイブス．災害	https://www2.nhk.or.jp/archives/shinsai/
Yahoo! Japan	東日本大震災写真保存プロジェクト	https://archive-shinsai.yahoo.co.jp/
Google	未来へのキオク	https://www.miraikioku.com/
311まるごとアーカイブス	311まるごとアーカイブズ	http://311archives.jp/
東北大学災害科学国際研究所	みちのく震録伝	https://www.shinrokuden.irides.tohoku.ac.jp/
エドウィン・O・ライシャワー日本研究所	日本災害アーカイブ	https://jdarchive.org/ja
フジテレビ	3.11忘れない	https://www.youtube.com/user/FNN311
首都大学東京渡邉英徳研究室、宮城大学中田千彦研究室	東日本大震災アーカイブ	https://nagasaki.mapping.jp/p/japan-earthquake.html

（5）その他のアーカイブ

東日本大震災関係のデジタルアーカイブ・プロジェクトの一覧を表1―2に示す。

以下それぞれについて簡単に紹介する。

（a）Yahoo! Japan「東日本大震災写真保存プロジェクト」

ここには、投稿された写真四六〇〇〇点のほか、他のサイトからの紹介（リンク）一万八〇〇〇点が収められている（図1―28）。震災前の写真、震災直後の写真や、復興の様子など、さまざまな写真が収められて

図1-28　Yahoo!Japan「東日本大震災写真保存プロジェクト」

図1-29　Google「未来へのキオク」

おり、地図で探すことができる。

(b) Google「未来へのキオク」

ここには震災前、震災直後、およびその後の写真・動画など六万二〇〇〇点が集められており、グーグル・マップ上で検索できる(図1-29)。さらに、ストリートビューで、震災前、震災直後、二〇一三年のそれぞれの時期の町の様子を見ることもできるようになっており、迫力がある。

(c)「311まるごとアーカイブズ」

「311まるごとアーカイブズ」はボランティアによるプロジェクトで、写真や動画だけでなく、津波で流されたアルバムや写真を整理し、被災者に返還したり、デジタル化したりしている（図1―30）。また行政の災害対応文書のデジタル化と検証、コミュニティ放送やCATVの記録のアーカイブ、被災者の避難高度の聞き取りも行っている。

図1-30　311まるごとアーカイブス

図1-31　みちのく震録伝

(d) みちのく震録伝

東北大学防災科学研究拠点（現在は、東北大学災害科学国際研究所に移行）が行っているプロジェクトで、ボランティア「みちのく・いまをつたえ隊」が被災地を訪れて、写真等のコンテンツを採録し、また被災者から聞き取りを行った結果を集めている（図1―31）。さらに、津波の浸水の高さが見えるサイトや、集めた写真のフォトマップ、被災地の360度カメラ映像（LVSquareみちのく）などを公開している。

(e) 日本災害アーカイブ

ハーバード大学ライシャワー日本研究所のアンドルー・ゴードン教授は、もともと日本の右翼サイトの調査・研究を行っていたが、東日本大震災発生に際し、日本語と英語で閲覧できる「2011年東日本大震災デジタルアーカイブ」を立ち上げた。これは現在「日本災害DIGITALアーカイブ」と名前を変えている（図1―32）。

図1-32　日本災害DIGITALアーカイブ

ここでは、たとえば地名「南三陸」で検索したのち、時間軸と地図で絞ることも可能である。図1―33では、二〇一一年三月一一日から六月一四日までの情報に絞っている。

またもうひとつの特徴は、多数のウェブサイトやツイッターとリンクしていることである。Yahoo!のアーカイブともリンクしている。ウェブサイトとしては、後述する国立国会図書館が

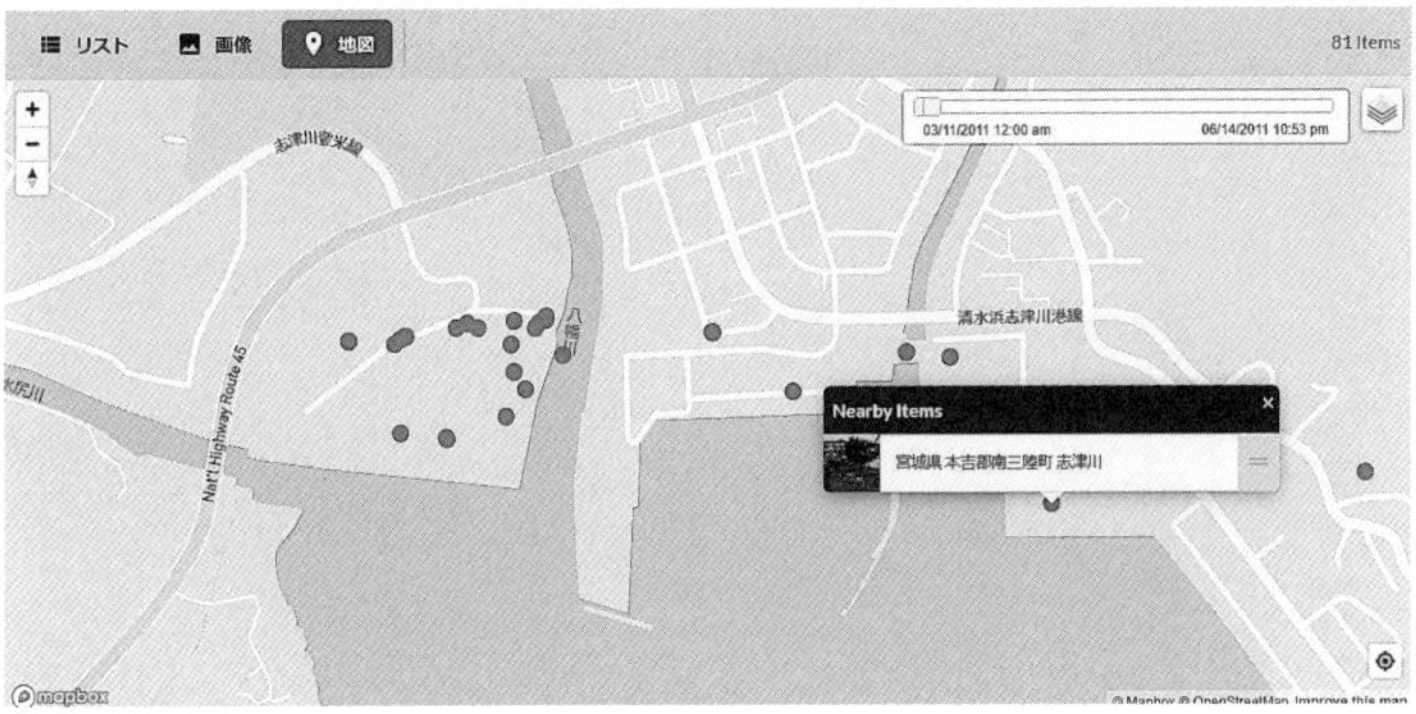

図1-33　日本災害アーカイブで「南三陸」を検索した結果

収集した市や町の公式サイトのほか、インターネット・アーカイブが集めた一般のブログなども集められている。

(f) 3.11忘れない

テレビのアーカイブは、フジニュースネットワーク（FNN）でも行われた。これは現在YouTubeのチャンネル（FNN311）となっている（図1―34）。

(g) 東日本大震災アーカイブ

これは首都大学東京（現在は東京都立大学）の渡邉英徳研究室と宮城大学の中田千彦研究室が共同で制作したビジュアル・アーカイブで、二〇一三年度のグッドデザイン賞を受賞している。その特徴は、グーグル・アースを活用し、被災地の鳥瞰ビューの中にさまざまなコンテンツを埋め込んでいる点である（図1―

図1-34　3.11忘れない

図1-35　「東日本アーカイブ」のトップ画面。カーソルを動かすと、空を飛んでいるように景色が変わり、顔などの画像をクリックするとコンテンツを見ることができる

35)。コンテンツとしては、朝日新聞社「いま伝えたい千人の声」、グーグル・ジャパンの「未来へのキオク」、東日本大震災発生後二四時間のＮＨＫニュース報道の書き起こしデータなどがある。渡邉教授はその後東京大学に移り、白黒写真のＡＩ支援カラー化や、ウクライナ戦争被害の３Ｄ画像の作成・公開などを進めている。

1—3　阪神淡路大震災を記録する

（1）そろそろ三〇年近く昔になる阪神淡路大震災

一九九五年一月一七日朝五時四六分に発生、神戸を中心に家屋倒壊やそれにともなう火災などで、六四三四人もの犠牲者を出した阪神淡路大震災、それから二八年もの月日が流れ、若い世代の方は遠い昔のことと感じているかもしれない。

筆者はちょうどその年一月から仕事が変わり、米国オハイオ州州都のコロンバスに着いたばかりだった。米国時間では、午後四時過ぎたころだと思う。職場の同僚が、Central Japanで大地震があった、と知らせてくれた。Central Japanとは、東京なのか、名古屋なのか、大阪なのか、まったくわからない。早速日本に電話しようとしたが、国際電話はまったく通じなかった。家に帰ってテレビをつけると、どうも地震は関西地方で起きたようである。筆者の実家は東京だったので、ひとまず安心したが、電話は相変わらずつながらなかった。テレビ報道では、最初数百人の死者が出た、といっていたが、みるみる数が増えて、夜中には二〇〇〇人、三〇〇〇人のレベルに増えていった記憶がある。

その年の三月頃アメリカから帰国し、出張で関西地方にいく機会があり、その時には再開していた阪神間の電車の窓から被害の様子を見た。三宮付近で何本かのビルが倒壊寸前の様子で傾いていたのがショックであった。この地域に住んでいた知り合いの先生からは、揺れたとき、食器棚の開き戸が開いて、皿がブーメランのように飛んできた、と聞いた。

地震による直接の被害規模としては、東日本大震災をはるかに超える大地震であったが、デジタルカメラもまだ存在せず、ビデオカメラも普及しておらず、インターネットもない時代で、市民による震災の記録はほとんど残されていないのが実情である。唯一のライブ記録がテレビニュースであった。

（2）テレビの取材映像公開

いくつかのテレビ局では、特別番組として当時の様子をYouTubeで公開しており、その生々しさに衝撃をうける[13]〜[15]。

図1-36　「阪神淡路大震災 激震の記録1995 取材映像アーカイブ」のトップ画面

図1-37　「阪神淡路大震災 激震の記録1995 取材映像アーカイブ」取材動画の一部

各社が、加工した映像の、それもその一部しか公開していない中、朝日放送（ABC）は「阪神淡路大震災 激震の記録1995 取材映像アーカイブ」として、取材した生映像をネットで公開した[16]（図1―36、図1―37）。その量は一九八〇クリップ、三八時間分というから、その情報量は莫大なものである。[17]

これまでも、また現在でも、テレビ局が持つ取材動画がこのように大量に公開された例はなく、きわめて画期的、かつ貴重である。特に被災者や関係者の生の姿・声が聞こえる動画は、東日本大震災のアーカイブでもまれである。

逆に、東日本大震災のアーカイブでは、被災者や関係者が映っている動画は、「個人情報」との名のもとに多くが非公開となっている。それに対して、朝日放送では、デジタルアーカイブ学会が策定・公開している「肖像権ガイドライン」[18]を積極的に活用し、多くの動画を公開することを決断した。その結果、映っている人からの苦情はまったくなく、むしろ公開を感謝されているという。

なおNHKアーカイブスでは、阪神・淡路大震災の記録映像をいくつか公開しているが[19]、航空写真などが中心であり、被災者等を取材した映像は公開されていない。

また、神戸市では、約一〇〇〇枚の写真からなるアーカイブ「阪神・淡路大震災「1．17の記録」[20]」を公開しているが、写真に写っている被災者・関係者の顔はほとんどマスキングされている。なお神戸市は同時に「阪神・淡路大震災25年　災害デジタルアーカイブ」を制作、建物の被災状況のマップに、オーラルヒストリー（関係者の口述記録）と合わせて公開している。[21]

阪神淡路大震災のアーカイブとして特筆すべきは、神戸大学附属図書館の「震災文庫」である。[22]この図書館ではもともと神戸市に関係ある各社新聞記事の切り抜きを収集していることで知られていたが、震災にあたって、震災に関係する資料、すなわち図書、雑誌記事、新聞記事、チラシ、ポスター、広報、ニュースレター、記者発表資料など、写真の収集を開始した。その後電子化に取り組み、二〇二〇年一一月末では六万一〇〇〇点の資料のうち五〇〇〇点の電子化が終了したとしている。また写真の公開点数は二万四〇〇〇点であるが、CCライセンスの適用を進めているところだという。

二〇二二年六月三日、サンテレビは震災文庫のホームページで取材動画六五件を公開した（図1―38）。これらはビデオ同好会や個人から寄せられた動画と合わせて、震災文庫の「デジタルギャラリー」で閲覧できる。[23]これについても、前述のデジタルアーカイブ学会「肖像権ガイドライン」を活用して公開の判断としたと説明している。

図1-38　阪神淡路大震災、サンテレビの取材動画（大橋町5丁目2）

こうしたことをきっかけとして、今後貴重な映像資料の公開が進むことを期待している。

参考書籍

ダニエル・デフォー．武田将明訳『ペストの記憶』研究社．二〇一七—〇九—二二（初版一九六七）．

内務省衛生局『流行性感冒「スペイン風邪」大流行の記録』平凡社．二〇〇八—〇九—〇一，四五四．

速水融『日本を襲ったスペイン・インフルエンザ——人類とウイルスの第一次世界戦争』藤原書店．二〇〇六—〇二—二五，四七四．

今村文彦監修．鈴木親彦責任編集『災害記録を未来に活かす（デジタルアーカイブ・ベーシックス2）』勉誠出版．二〇一九—〇八—一五，二七四．

佐藤知久・甲斐賢治・北野央『コミュニティ・アーカイブをつくろう！——せんだいメディアテーク「3がつ11にちをわすれないためにセンター」奮闘記』晶文社．二〇一八—〇一—三〇，三六八．

注

（1）S．ハーシュバーガー．古川奈々子翻訳協力『忘れられたパンデミック スペイン風邪の集合的記憶』日経サイエンス．二〇二一，（七），八八—九二．

（2）五月女賢司「吹田市立博物館における新型コロナ資料の収集と展示」『デジタルアーカイブ学会誌』二〇二一，五（二），八三—八五．

（3）持田誠「コロナ関係資料からみえてくるもの」『デジタルアーカイブ学会誌』二〇二一，五

（一），四七—五二．

（4）デジタルアーカイブ学会新型コロナウイルス感染症に関するデジタルアーカイブ研究会．COVID-19に関するアーカイブ活動の呼びかけ．http://digitalarchivejapan.org/bukai/sig/covid19/call（参照 二〇二一—〇八—一七）．

（5）IFPH-FIHP. Mapping Public History Projects about COVID 19. https://ifph.hypotheses.org/3225（参照 二〇二〇—〇九—二三）．

（6）Archives Portal Europe Blog. Memories of the pandemic. https://archivesportaleurope.blog/2020/04/20/national-archives-malta-collecting-testimonies-on-lockdown/（参照 二〇二〇—〇九—二三）．

（7）新型コロナウィルス（COVID-19）感染についてのデジタルアーカイブ（国内）．http://stokizane.sakura.ne.jp/tokizane2/COVID-19-domestic/（参照 二〇二〇—〇九—二三）．

（8）時実象一．世界のCOVID-19（新型コロナウィルス感染症）関連デジタルアーカイブ．デジタルアーカイブ学会誌．二〇二一，五（一），三八—四一．

（9）国立国会図書館東日本大震災アーカイブ「ひなぎく」．https://kn.ndl.go.jp/（参照 二〇二一—〇八—三〇）．

（10）石巻市湊地区に押し寄せる津波【視聴者提供映像】．https://www.fnn.jp/common/311/miyagi/articles/201103110056.html（参照 二〇二一—〇八—三〇）．

（11）御厨貴．基調講演「災後の時代を迎えて——東日本大震災から10年」．デジタルアーカイブ学会誌．二〇二一，五（三），一五三—一五九．https://doi.org/10.24506/jsda.5.3_153．

（12）ＮＨＫアーカイブス．災害．https://www2.nhk.or.jp/archives/shinsai/（参照 二〇二一—〇八—三〇）．

（13）被災局サンテレビの記録　阪神淡路大震災27年．二〇二二—〇一—一九．https://www.youtube.

com/watch?v=n0lRPSGUgbA（参照二〇二二—〇五—〇七）．

（14）Great Hanshin-Awaji Earthquake, Kobe, Hyogo Pref., Japan［17 Jan 1995］．https://www.youtube.com/watch?v=rTqH75f1d30（参照二〇二二—〇五—〇七）．

（15）阪神・淡路大震災から26年〜あの日何が起きたのか〜．https://www.youtube.com/watch?v=OzMCFySNhRc（参照二〇二二—〇五—〇七）．

（16）朝日放送グループ．阪神淡路大震災 激震の記録1995 取材映像アーカイブ．https://www.asahi.co.jp/hanshin_awaji-1995/（参照二〇二二—〇五—〇七）．

（17）木戸崇之．DAPCON産業賞受賞：「激震の記録1995——阪神淡路大震災取材映像アーカイブ」公開から1年〜400年後の神戸市民に映像を見てもらうために〜．デジタルアーカイブ学会誌．二〇二一，五（二），六三—六七．

（18）デジタルアーカイブ学会．肖像権ガイドライン．http://digitalarchivejapan.org/bukai/legal/shozoken-guideline/（参照二〇二二—〇六—一八）．

（19）ＮＨＫアーカイブス．阪神・淡路大震災．https://www2.nhk.or.jp/archives/311shogen/disaster_records/list.cgi?category=%E9%98%AA%E7%A5%9E%E3%83%BB%E6%B7%A1%E8%B7%AF%E5%A4%A7%E9%9C%87%E7%81%BD（参照二〇二二—〇五—〇七）．

（20）神戸市．阪神・淡路大震災25年　災害デジタルアーカイブ．https://kobe-city.maps.arcgis.com/apps/MapSeries/index.html?appid=1310e95f411b4f8aa346bf3303e27493（参照二〇二二—〇五—〇七）．

（21）神戸市．阪神・淡路大震災「1.17の記録」．http://kobe117shinsai.jp/（参照二〇二二—〇五—〇七）．

（22）神戸大学附属図書館デジタルアーカイブ．震災文庫．http://www.lib.kobe-u.ac.jp/eqb/（参照二〇二二—〇六—一八）．

（23）　神戸大学附属図書館デジタルアーカイブ：震災文庫：デジタルギャラリー：http://www.lib.kobe-u.ac.jp/eqb/dlib/eqbdlib-video.html（参照 二〇二一—〇六—一八）．

第2章　文化を保存するデジタルアーカイブ

2—1　文化財

(1) ウェブ上の文化財

海外の大博物館、たとえばオランダ国立美術館などでは、高精細の画像が閲覧、ダウンロード可能である。図2—1は有名なレンブラントの「夜警」の画像であるが、「ダウンロードして活用しよう」と記載されている。

他方日本の現状はどうであろうか。Googleで「アイヌ風俗図」と検索してみよう。画像を選択すると、図2—2のようにさまざまな画像が見つかるが、そのURLを見てみると、colbase（国立博物館）、suntory（サントリー美術館）、bunka（文化財オンライン）、webarchives.tmn（東京国立博物館）、wikipedia、などが見て取れる。

ここで、colbaseの画像は画素数一二・八M、wikipediaが一一・三Mと高精細な画像である。

図2-1　オランダ国立美術館の「夜警」画像（https://www.rijksmuseum.nl/en/collection/SK-C-5）

図2-2　Googleで「アイヌ風俗図」を検索した結果

また、これらは出典を記載することなどを条件として、比較的自由に利用できる。国立の博物館などが高精細な画像のダウンロードを認める方向となったことは喜ばしい。他方、suntoryやbunkaの画像は解像度が比較的低く、ダウンロードすることは想定されていない。

（2）文化財の再利用

デジタルアーカイブ上に存在する文化財データの元となる文化財の多くは、すでに著作権保護期間が終了しており、その場合、通常そのデジタルデータにも著作権の保護はない。したがって、これらは再利用可能である。大阪市立図書館では引札（昔の広告ビラ）、写真、絵葉書など一万点近くの資料をデジタル化している（二〇二二年八月現在）[1]。これらのデジタルデータは現在許諾を得なくとも自由に利用できる。その結果さまざまな二次利用が行われた（図2―3）。この話のポイントは、商品開発したいと思ったときに大阪市立図書館にお伺いを立てる必要がなく、自由にウェブから画像をダウンロードして加工できることである。問題は、まだ多くのデジタル・コンテンツに再利用可能かどうかの表記がないことである。

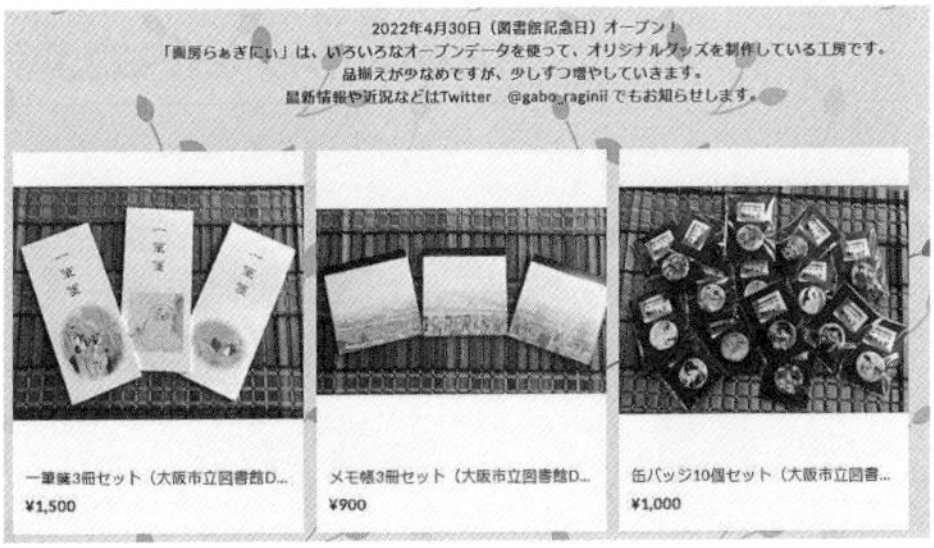

図2-3　大阪市立図書館が公開したデジタルアーカイブ・コンテンツを利用した商品開発の例（https://raginii.base.shop/）

（3）文化財デジタル化の問題点

日本のデジタルアーカイブはまず文化財のデジタル化か

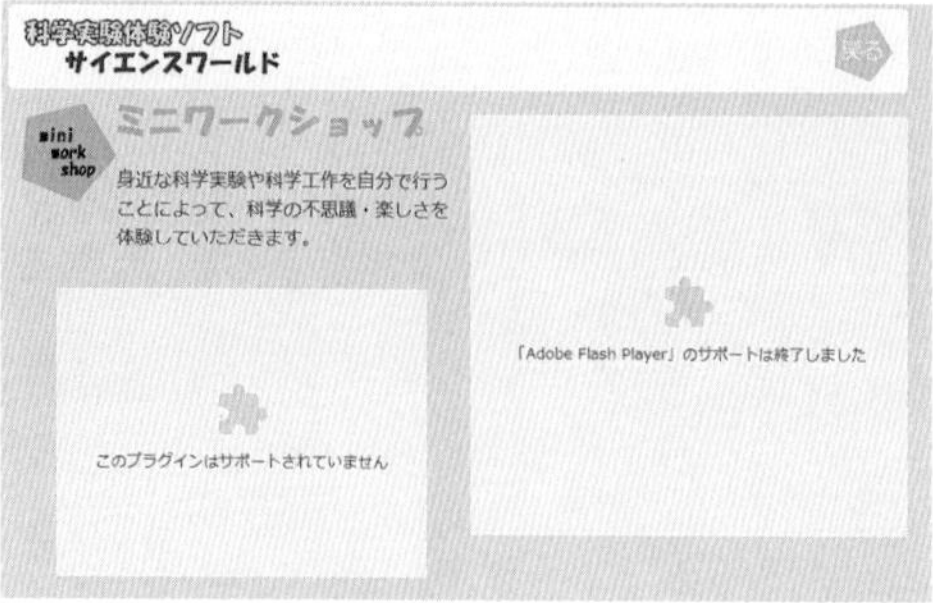

図2-4　Adobe Flashを使っていたため、アクセスできなくなったウェブページの例（http://dac.gijodai.ac.jp/npo-dac/sciencew/mini/index.html）

ら始まった。一九九六年には、デジタルアーカイブ推進協議会（JDAA）が設立され、全国各地の文化財をデジタル化して公開しようとする動きが強まった。しかし、その後デジタルアーカイブの費用対効果が疑問視されたためか、JDAAは二〇〇五年に解散し、第1次デジタルアーカイブ運動は休止となった。この時期に作成されたデジタル・コンテンツは、（1）現在からみると高精細でなく、品質が劣る、（2）公開に用いられたサーバが更新されて、データベースが使えなくなった、（3）閲覧ツール（FLASHなど）が時間を経て使えなくなった、などの理由で、すでに過去のものとなっており、多くは閲覧できない（図2—4）。

これは文化財のデジタル化特有の問題である。つまり文化財コンテンツは、最新の技術で、繰り返しデジタル化を更新することが求められている。現在試行中の8K動画は人間の認識できる解像度を超えているが、一方で虫眼鏡レベルの画像から今まで気づかなかった新たな知見が得られる。このように、画像の品質向上に限界はないといえる。最近では3D技術も発展しており、

3Dコンテンツも増加しつつある。

文化財のデジタルアーカイブを構築する目的は、

（1）劣化の進む文化財のデジタル保存
（2）文化財の複製による代替公開
（3）文化財の電子的公開

（3）の電子的公開の目的をさらに分類すると、

（a）文化財保有施設の広報宣伝や観光誘致
（b）新しい見せ方と来館者への支援
（c）デジタル化文化財の二次活用

などが考えられる。

（4）デジタル化の技術

文化財は（a）平面資料、（b）立体物、に大きく分けられる。紙系資料は平面であるのでスキャナ、または写真撮影でデジタル化する。紙系資料のデジタル化については国立国会図書館で教育資料を作成している。(2) また嘉村哲郎氏による解説も有用である。(3) さまざまなスキャナを図2－5に示した。絵画や地図のような大きいものの場合は、特別なスキャナまたは撮影装置が必要になる。油絵などは、表面の凹凸や質感が重要となるので、複製画を作成するために特殊なスキャン方式や撮影方式を用いる場合もある。(4)

彫刻や陶器などの立体物は写真撮影が行われる。これまでは、展覧会カタログの撮影のように、正面や側面など二、三ヵ所で撮影するのみであったが、最近複数の角度から立体物を撮影し、これらを統合して3D化するフォトグラメトリが盛んになってきた。(5) これにより、手軽に立体物の3D化が可能となった。さらに精密な3D化が必要な場合は、3D計測が行われる。またフォトグラメトリは建築物や地形など大きい物体も、ドローンなどによる写真撮影のみで3D化できる点も魅力である。3D計測とフォトグラメトリを組み合わせた技術も用いられる。(6)

フラットベッドスキャナ
(CANON 9950F03)

フィーダー付きスキャナ
（紙１枚づつ吸い込んでスキャンする
FUJITSU ScanSnap S1500)

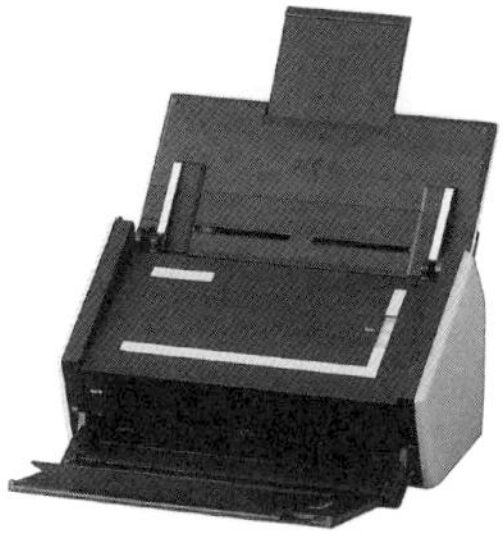

オーバーヘッドスキャナ
（上部頭の部分に読み取りセンサーがある
FUJITSU ScanSnap SV600)

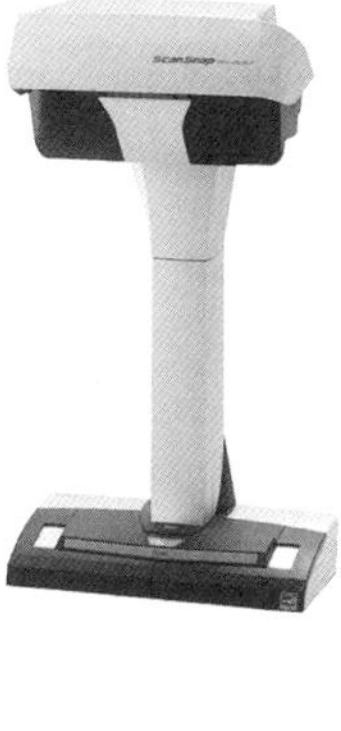

書籍用オーバーヘッドスキャナ
（国立国会図書館電子化作業
本の厚みに合わせて台の片側が沈む、
山田太郎参議院事務所提供）

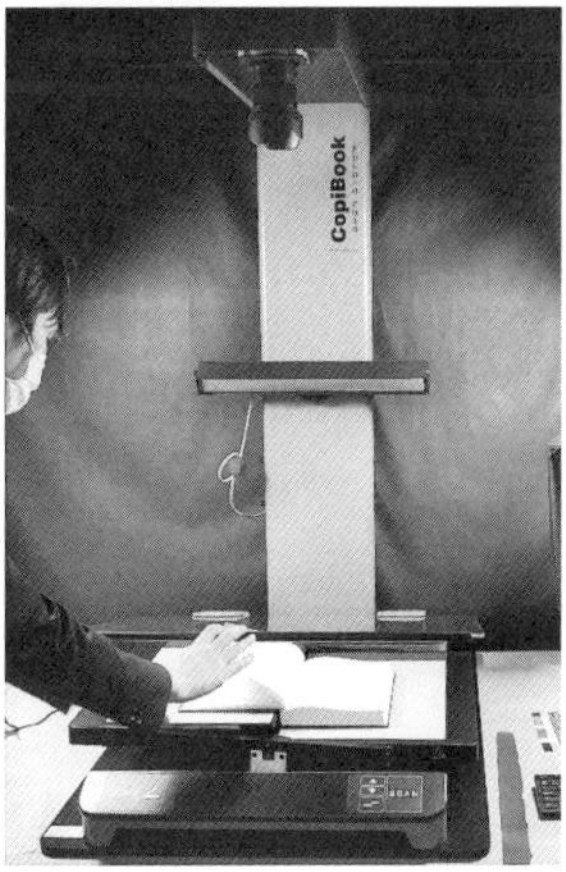

図2-5　スキャナのいろいろ①

手めくり式書籍スキャナ（カメラ式）
(V 字型のガラス版を下げて、書籍を固定して撮影する
Internet Archive Scribe、筆者撮影）

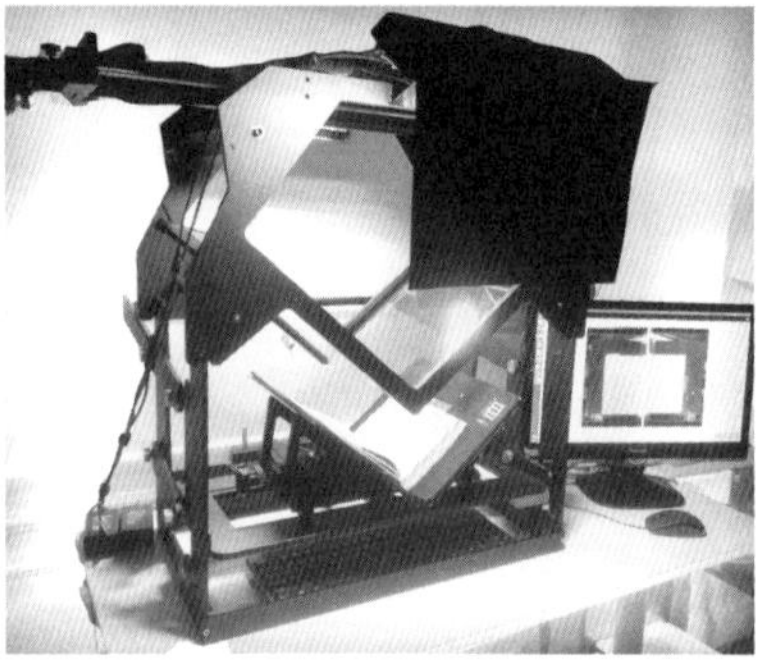

大型走行式スキャナ
（岐阜女子大学、筆者撮影）

図2-5　スキャナのいろいろ②

図2-6　Google Arts & Cultureのトップ画面

（5）Google Arts & Culture

ウェブの普及とデジタルアーカイブ技術の発展により、世界の著名な美術館・博物館を先頭に所蔵品のデジタル化と公開が進展した。これに大きな刺激を与えたのが二〇一一年に公開されたGoogle Art Project（現在Google Arts & Culture）[7]である（図2―6）。

世界の主要な博物館・美術館と契約し、無料で高品質の撮影とデジタル化を行う代わりに、その公開を独占する手法であるが、すでに世界二〇〇〇以上の美術館・博物館と提携している。日本でも約八〇館が参加し、主要な美術館・博物館はほとんど含まれている。

（6）各博物館・美術館のデジタルアーカイブ

世界の著名な博物館・美術館では、独自に高精細画像を作成して公開を始めている。さらに急速に普及しているIIIF技術（後述）の採用により、利用者が手元のPCやタブレット端末で自由に画像を操作することが可能となった。またネットの高速化に助けられた3D技術の進展も伴い、美術品の多様な見せ方が可能となった。

国立博物館所蔵品統合検索システム（ColBase）(8)は四つの国立博物館（東京国立博物館、京都国立博物館、奈良国立博物館、九州国立博物館）の所蔵品を、横断的に検索できるサービスで二〇一七年三月に公開された。

図2-7　ColBaseで見つかった「アイヌ風俗図」

国宝四一九件を含み、高精細ではないが、PCの壁紙レベルの画像がダウンロード可能である。図2—7は前述の「アイヌ風俗図」の画像である。

国立科学博物館では、「標本・資料統合データベース」があり(9)、「画像あり」の条件で検索すると、動植物標本の写真をみることができる（図2—8）。

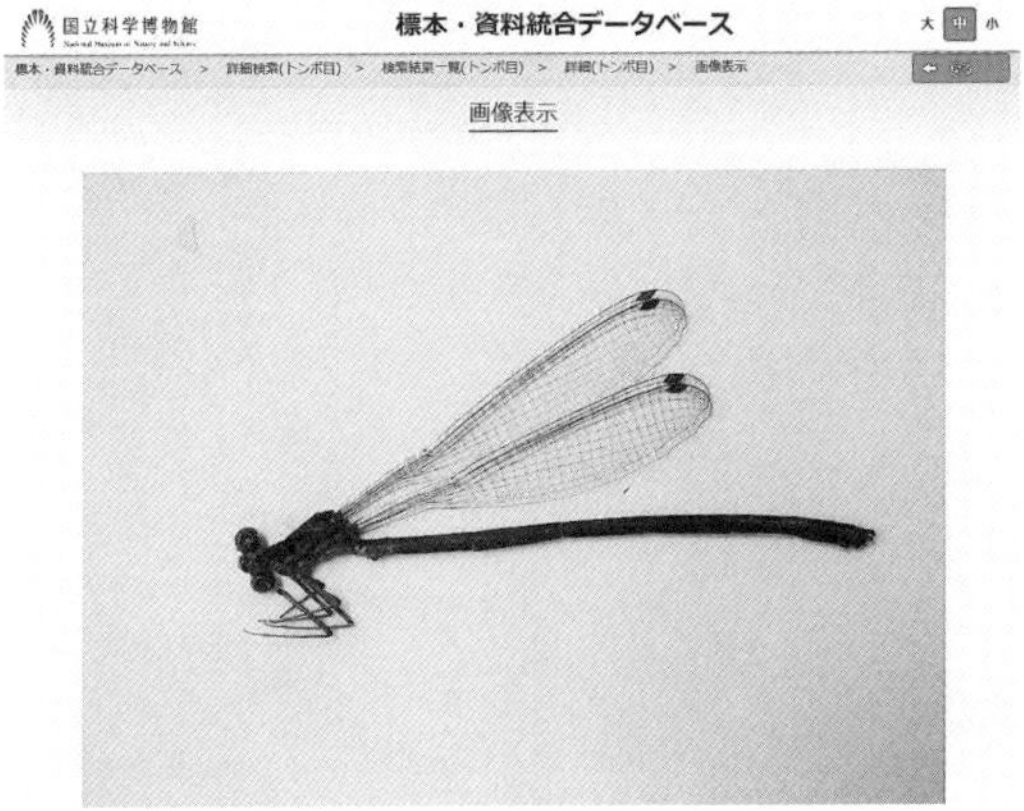

図2-8　国立科学博物館「標本・資料統合データベース」の標本画像

（7）文化遺産オンライン

日本では、二〇〇八年に正式公開した文化庁「文化遺産オンライン」(10)（協力国立情報学研究所）が美術品のデジタルアーカイブ・ポータルの最初であった。しかし時代の制約等から高解像度の画像は公開されなかった。このサイトは二〇二一年四月にリニューアルされ、今風のデザインとなった（図2—9）。ただし、高精細画像の提供やダウンロードには対応

図2-9　文化遺産オンラインのトップ画面

していない。

　従来は、高精細画像については、画集やポスター向けのライセンス販売や絵葉書などグッズの販売に支障がある、不適切な利用をされる恐れがある、などとして、所蔵館が公開をためらう傾向があった。近年世界の主要な美術館・博物館で著作権の切れた所蔵品の高解像度画像を自由利用前提に公開する流れが強まっている。現在では、著作権保護期間が満了している多くの美術作品の高精細画像がネットから自由にダウンロードできるようになった。この点日本の美術館・博物館は慎重であったが、次第に変わりつつある。

　後述するジャパンサーチでは、これら美術館・博物館のコンテンツを一括で検索できる。

2—2　デジタルアーカイブ・ポータル

(1) ポータル

ポータルとは「入口」という意味である。port（港）が語源と思われる。passportも港を通過（pass）するための手形という意味である。ウェブの世界では、さまざまな情報の入口という意味で使われており、GoogleやYahoo!がポータルの例である。デジタルアーカイブでは、さまざまなデジタルアーカイブにたどり着くための入口がポータルであり、先に紹介した国立国会図書館の震災アーカイブ「ひなぎく」が典型的なポータルである。ここでは、デジタルアーカイブの広い分野をカバーするポータル、ジャパンサーチやヨーロピアーナについて紹介する。

(2)ジャパンサーチとは

ジャパンサーチは、書籍文書分野、文化財分野、メディア芸術分野など、さまざまな分野のデジタルアーカイブと連携して、日本が保有する多様なコンテンツのメタデータをまとめて検索できる「国の分野横断型統合ポータル」と説明されている[11](図2―10)。

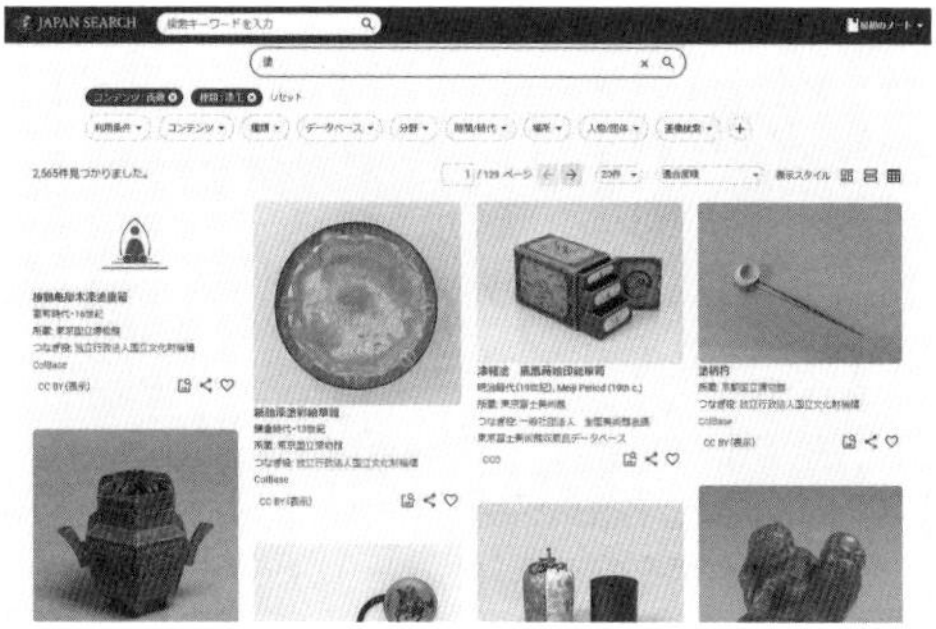

図2-10　ジャパンサーチのトップ画面

たとえば浮世絵の画像を例にあげると、画像写真そのものはそれを保有する美術館などに置いてあり、ジャパンサーチはその画像を探せるように、画像のタイトルや作家、制作年代、作品説明などの情報(これを「メタデータ」という)と、紹介用の小画像(サムネイル)を集めて検索できるようにしている。検索でその画像がヒットして、それをクリックすると、該当する美術館などのサイトに飛んでいく仕組みである。

二〇二二年八月現在、九三の連携機関(つなぎ役)を通じて提供されている一八四のデータベース、約二五〇〇万件のメタデータと連携している。ただし、画像サムネイルがあるコンテンツは三一七万件であり、残りはカタログなどメタデータのみになる。また利用条件は、教育利用可一一九万件、非商用利用可八六・八万件、商用利用も可八一・四万件となっている。

ジャパンサーチの検索窓で「塗」を検索してみると、三万八七二五件ヒットする（図2―11）。これでは多すぎるので、コンテンツを「画像」に、種類を「工芸」「漆工」に制限すると、二五六五件となった。

図2-11　ジャパンサーチで「塗」を検索、左上部に「コンテンツ:画像」「種類:漆工」と表示されている

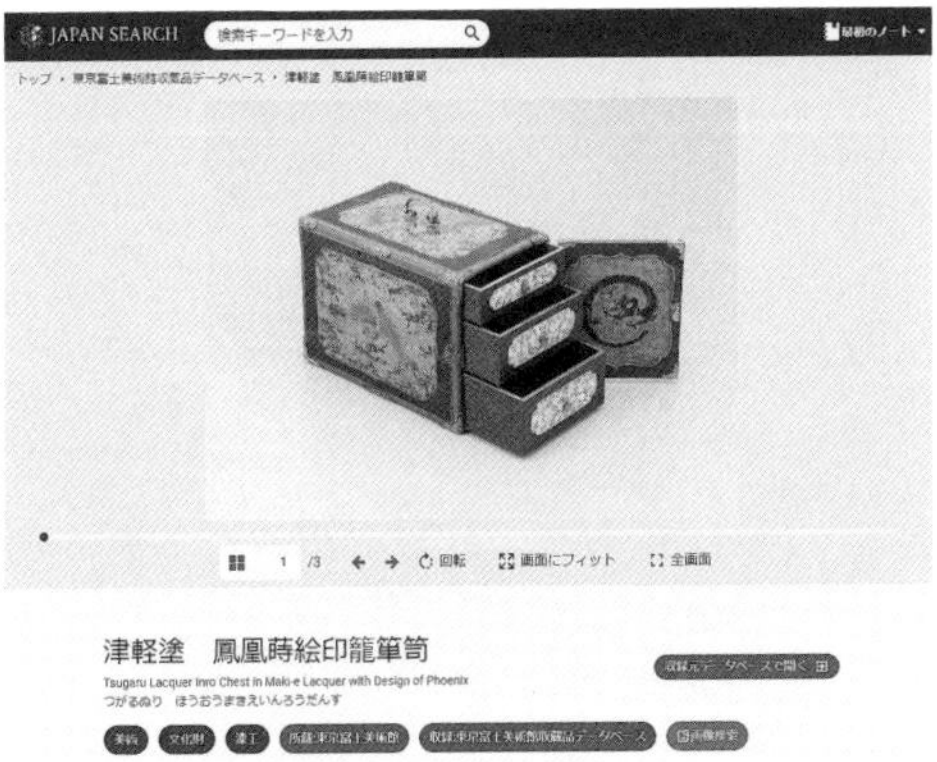

図2-12　ジャパンサーチ「津軽塗　鳳凰蒔絵印籠箪笥」のページ

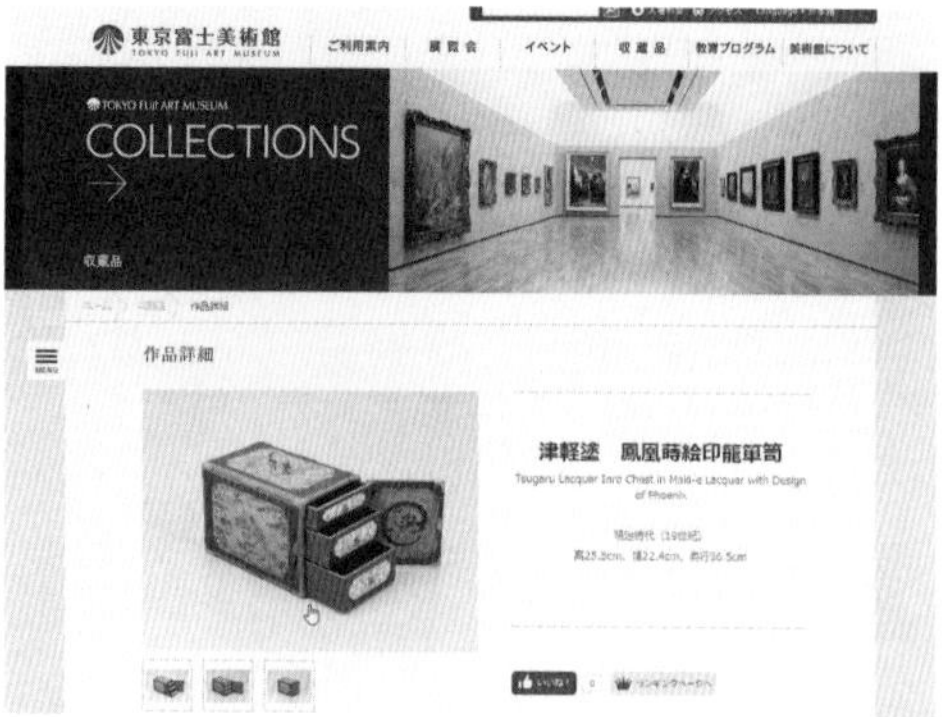

図2-13　東京富士美術館の「津軽塗　鳳凰蒔絵印籠箪笥」のページ

ここで、東京富士美術館所蔵の「津軽塗　鳳凰蒔絵印籠箪笥」を選択してみた（図2―12）。

下部の情報表示部分に「収録元データベースで開く」とあるので、これをクリックすると東京富士美術館の該当ページが表示される（図2―13）。

ジャパンサーチではヨーロピアーナなどと同様に、あらかじめ選択されたテーマに関するコンテンツを「ギャラリー」で見ることができるほか、「マイノート」機能で、自分だけのギャラリーを編集することも可能である。

（3）ヨーロピアーナ

ヨーロピアーナは世界中の書籍をデジタル化しようというGoogle Booksプロジェクト（後述）に対する欧州の危機感、特にフランスの危機感から生まれ、フランス、ドイツ、オランダなどの政府が中心となって二〇〇七年にオープンした[12]（図2―14）。

ヨーロピアーナは主として欧州委員会（ＥＣ）の予算で運営されている。ヨーロピアーナのコンテンツは国別のアグリゲータ、館種別のアグリゲータ、ＥＵのプロジェクトなどから提供されている（表２―１）。参加している機関は美術館・博物館（オランダ国立美術館など）、公文書館、図書館など多岐にわたっている。各アグリゲータはヨーロピアーナ・アグリゲータ・フォーラムを通じて運営に参加している。また各国の協力者がヨーロピアーナの運営に発言する仕組みとして

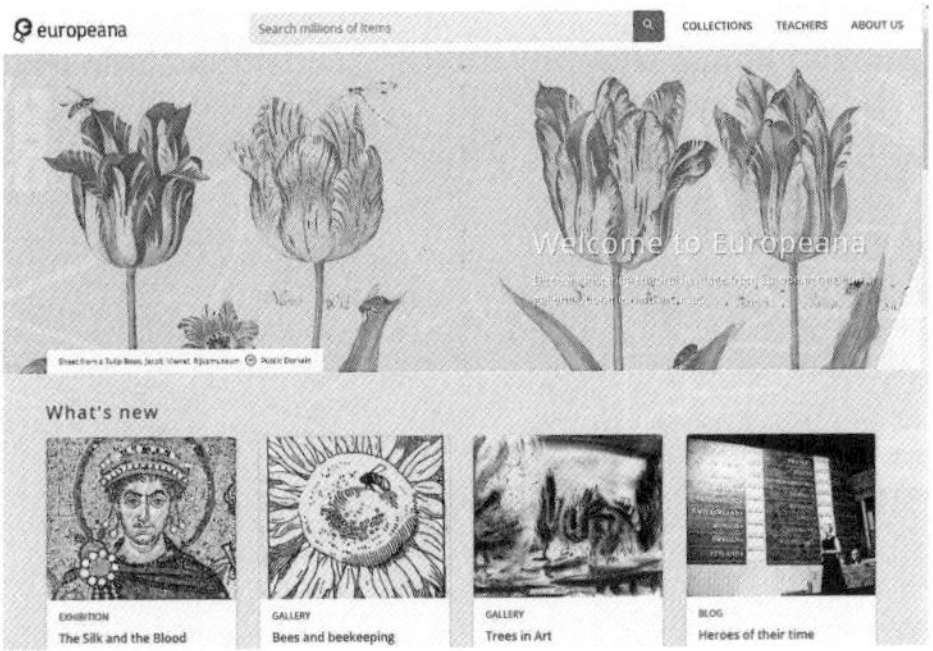

図2-14　ヨーロピアーナのトップ画面

表2-1　データ提供者の分布(2014/12)

データ提供者	機関数	メタデータ数
国別アグリゲータ	34	12,528,959
館種別アグリゲータ	4	9,441,012
EUプロジェクト(主題別)	33	13,097,791
その他のアグリゲータ	5	119,282
館が直接提供	37	935,722
合計	113	36,122,766

図2-15　オランダ国立美術館から公開されている浮世絵の例（https://www.europeana.eu/en/item/90402/RP_P_2008_237）

ヨーロピアーナ・ネットワーク協議会がある。ヨーロピアーナの技術会議EuropeanaTechはデジタルアーカイブの最新の動向を知るのに役立つ。

　ユーロピアーナはＡＰＩ（Application Programming Interface）でできている一種のポータルである。デジタル・コンテンツはＥＵ各国にあるコンテンツ・プロバイダが保有しているが、そのメタデータをユーロピアーナが収集し、ＡＰＩを用いてウェブで公開している。

　このプロジェクトでは欧州の多数の言語のコンテンツやメタデータがそのまま登載されているので、検索には注意する必要がある。たとえば日本の浮世絵などは、英語で検索しなくてはならない場合もある。たとえば「UTAMARO」で検索すると五七四点のコンテンツが見つかるが、「歌麿」では三二一点しか見つからない。図2―15はユーロピアーナで検索したオランダ国立美術館に所蔵されている歌麿の浮世絵であるが、高精細の画像がダウンロードできる。

　ヨーロピアーナについては筆者らの記事を参照されたい(13)~(18)。

（4）米国デジタル公共図書館

米国デジタル公共図書館（Digital Public Library of America: DPLA）[19]はヨーロピアーナの米国版として二〇一三年四月にオープンした。

EUの資金で運営されているヨーロピアーナと異なり、DPLAは図書館の自主的な事業であり、主として研究助成機関からの補助金で運営されている。コンテンツは各州のデジタルアーカイブ機関（主として州立の図書館）と全米にまたがるアーカイブ機関（国立公文書館、インターネット・アーカイブ、ハーティ財団など）から提供されている（図2―16）。二〇二一年九月末現在四四五〇万件のコンテンツが登載されている。DPLAの詳細については筆者など記事を参照されたい[20]、[21]。

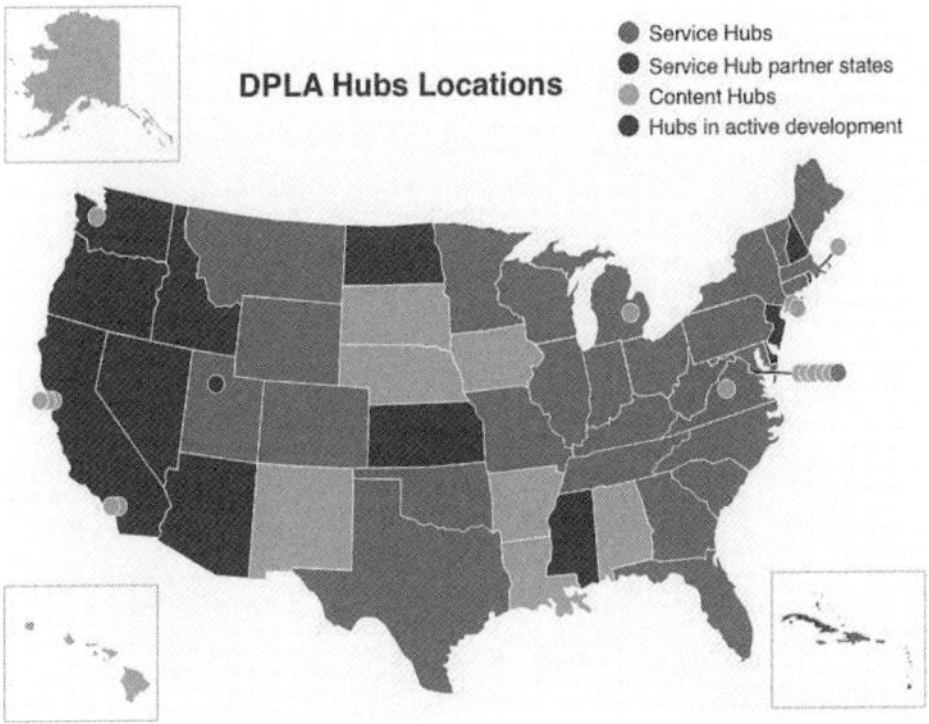

図2-16　DPLAに参加している州など（2019年現在）

ウィキペディアとの連携も行っており、ChromeブラウザのプラグインWikipeDPLAを

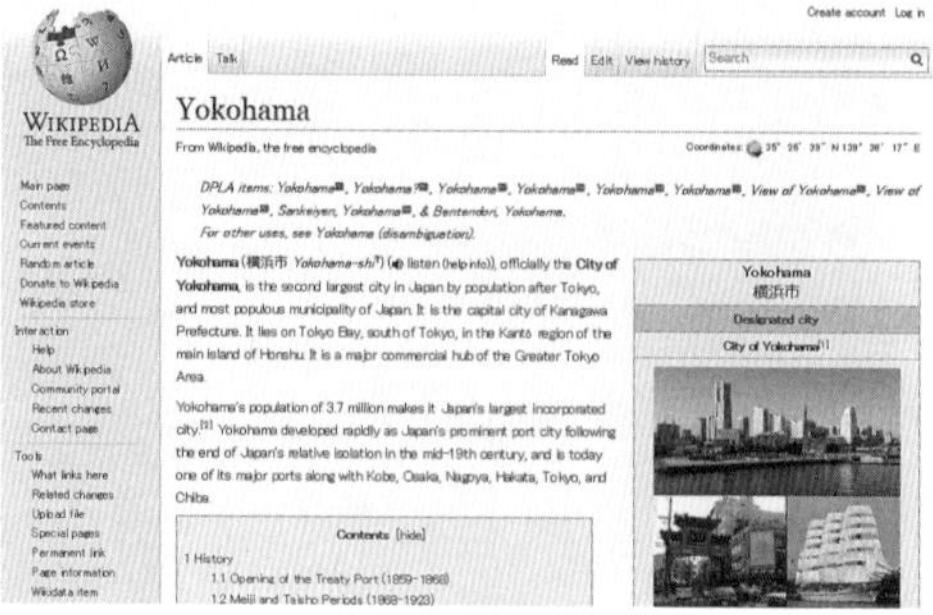

図2-17　Wikipedia英語版の "Yokohama" の項にDPLA画像へのリンクがある。これをクリックすると、該当するDPLAの画像を見ることができる

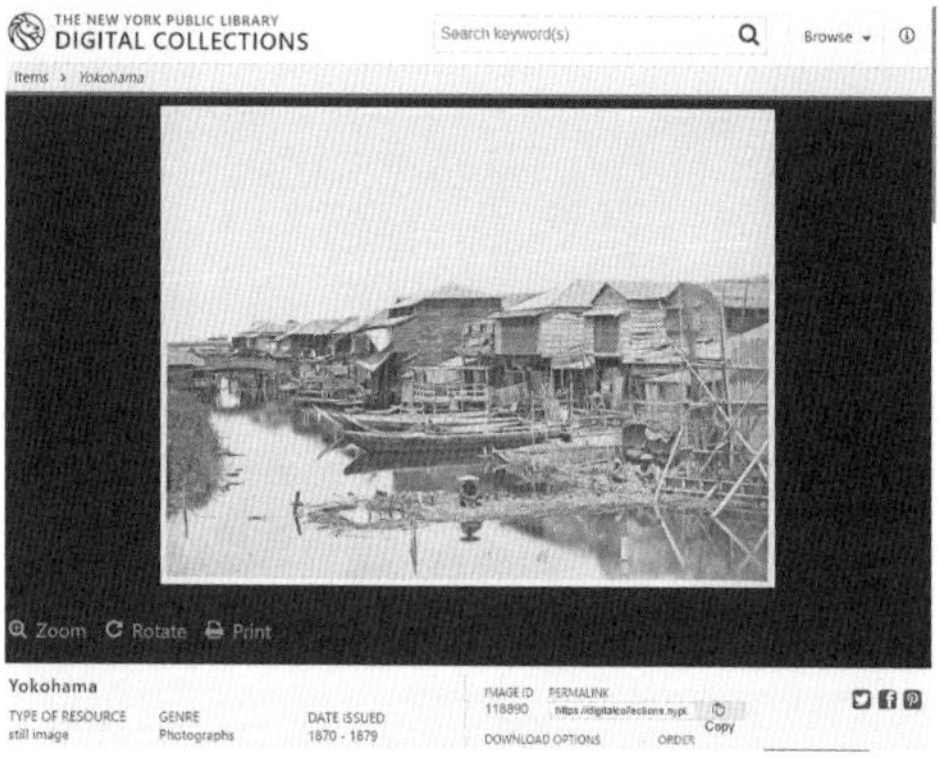

図2-18　ニューヨーク公共図書館に保存されている1870年頃の横浜の写真

インストールすると、ウィキペディアの検索結果からDPLAのコンテンツにリンクが記載されている。

また二〇一九年よりスローン財団の助成を受け、DPLAの協力館が収集した画像等をウィキメディア・コモンズに登載するプロジェクトが開始された。すでに一四〇万点の写真、文書、地図などが登載されている（図2―17、図2―18）。ウィキメディア・コモンズはデジタルアーカイブ・コンテンツの比較的安全な収納場所であると考えられる。後述するウィキペディア・タウンでも、収集した写真などはウィキメディア・コモンズに登載している。

（5）カルチュラル・ジャパン

さてジャパンサーチはまだまだ発展中であり、検索しても探しているものが見つからない場合もある。特に日本の浮世絵は、明治維新の前後に多数欧米に流出しており、これらはジャパンサーチと兄弟にあたるポータル、ヨーロピアーナ（欧州）やDPLA（米国）で探すことができる。これらを別々に探すのは面倒なので、一気に探せるツールとして開発されたのがカルチュラル・ジャパンである(22)（図2―19）。カルチュラル・ジャパンでは、APIを使って、ジャパンサーチ、ヨーロピアーナ、DPLA、その他世界の博物館・美術館で公開されている日本の文化財データを収集して一括で見られるようにしている。

図2-19　カルチュラル・ジャパンのトップページ

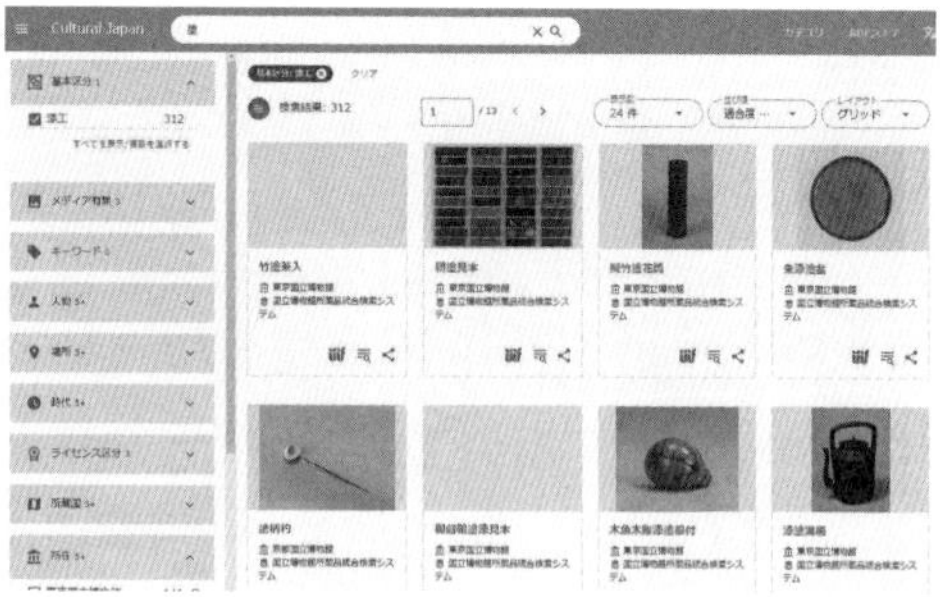

図2-20　カルチュラル・ジャパンで「塗」を検索した結果

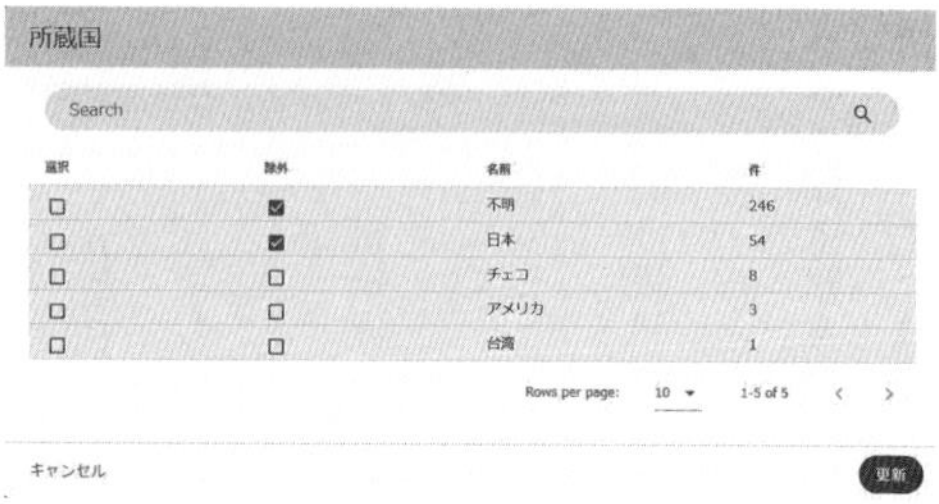

図2-21　カルチュラルジャパンの「所蔵国」チェックリスト

図2-22　カルチュラルジャパン「塗」の海外所蔵品

カルチュラル・ジャパンで、前述ジャパンサーチと同じように「塗」で検索してみた。基本区分を「漆工」に限定した（図2—20）。

ここまではジャパンサーチと同じような結果となるが、違っているのは左のメニューで「所蔵国」をクリックして限定できることである（図2—21）。「すべてを表示／複数を選択」をクリックし、そのリストから「不明」と「日本」を除外して「更新」すると、検索結果が変わって、チェコのナープルステク博物館、米国メトロポリタン美術館の所蔵品が見つかる（図2—22）。カルチュラル・ジャパンは世界に散らばる日本の美術品をまとめて検索できる最適のサイトである。二〇二二年八月末現在世界の日本文化コンテンツ一三〇万件が検索できる。

検索というとすぐGoogleを使う人も多いが、学校の教室では、ジャパンサーチ、カルチュラルジャパンなどのポータルを活用して、信頼できるコンテンツを使うことが望ましい。

2—3　書籍

（1）国立国会図書館デジタルコレクションで懐かしの本を見つける

岩波書店が戦争中に出版していた「少国民のために」というシリーズがあった。科学に関するさまざまなトピックを丁寧に解説した本格的な本である。このシリーズは戦後も補筆して再版している。筆者が子供のとき読んだものは雪の結晶の研究で有名な中谷宇吉郎著の「雷の話——雷の電気はどうして起るか」と有馬宏著の「トンネルを掘る話」で、おそらく戦後の版と思われる。筆者はこの「トンネルを掘る話」が大好きで、何回読んだかわからない。これは今のＪＲ東海道在来線の熱海と三島を結ぶ丹那トンネルを掘る話で、「坑道」や「温泉余土」などのことばもここで覚えた。

二〇二二年五月一九日より、国立国会図書館の絶版等資料の個人を対象とするインターネッ

図2-23　有馬宏「トンネルを掘る話」（表紙）、国立国会図書館デジタルコレクション（info:ndljp/pid/8372212）

ト送信が開始された。これは表2―2にあるデジタル化資料（国立国会図書館デジタルコレクション）(23)のうち、絶版等の理由で入手が困難なもの約一五三万点で、従来公共図書館や大学図書館ではオンラインで利用が可能であったものが、個人でも利用可能になるという画期的な改革である。このサービスを利用するには、国立国会図書館に利用登録をすればよい。

このおかげで、これまで閲覧が困難だったこのシリーズが読めるようになり、懐かしい「トンネルを掘る話」も全文読めるようになった（図2―23）。自分の幼いころの愛読書が手元でパソコン上で読めるようになったことは感激である。

しかも、丁寧なことにこの検索結果には「古書店データベースで探す」というリンクも記載さ

図2-24　国立国会図書館の大規模電子化（大日本印刷）

表2-2　デジタル化資料提供数（概数）

	インターネット公開資料	図書館送信対象資料[1]	国立国会図書館館内提供資料	合計
図書	360,000	550,000	80,000	990,000
雑誌	20,000	820,000	510,000	1,350,000
古典籍	80,000	20,000	-	90,000
博士論文	20,000	130,000	20,000	160,000
官報	20,000	-	-	20,000
憲政資料	10,000	-	20,000	10,000
録音・映像関係資料	-	30,000	70,000	10,000
地図	-	-	10,000	10,000
その他	80,000	20,000	90,000	180,000
合計	570,000	1,530,000	720,000	2,810,000

1)　図書館向けデジタル化資料送信サービス（図書館送信）に参加している公共・大学図書館等の参加館及び国立国会図書館の館内で閲覧できる資料である。

れており、このリンクをたどることで、現物も購入できたのだった。

（2）国立国会図書館の書籍電子化

このように便利なことが、どうして可能になったのだろうか。国立国会図書館は、蔵書の電子化を二〇〇〇年ごろから少しずつ進めてきたが、大規模電子化が実現するにあたっては、前館長の長尾真氏（二〇〇七―二〇一二年）の力によるところ

表2-3　2020年度補正予算によるデジタル化

項目	概要
図書資料のデジタル化	1987年までに刊行・受入した国内刊行図書のデジタル化 ※社会科学分野、人文科学分野の一部
デジタル化設備の整備	館内でデジタル化を行うためのスキャナ導入
全文テキスト化の推進	全文検索用のテキスト化（OCR） OCR処理プログラムの研究開発
電子書庫機能の拡張等	デジタルデポジットシステムのストレージ増強・改修

合計　約60億円

が大きい。館長就任後、著作権法と国立国会図書館法の改正が実現し、国立国会図書館では、著作権者の許諾を得ることなしに、蔵書の保存のための電子化を行って良いことになった。電子化というのは複製の一種であるから、それまでは電子化をする前にいちいち著者などの許諾を得る努力をしていたが、それが不要となった。

さらに、二〇〇九年に当時の景気刺激策の一環として、一二七億円もの補助金が大規模電子化のために使えることとなった。それまでの電子化予算は一年に一〜二億円であったから、まさに一〇〇倍の予算が一度についたのである。こうして世界中の図書館がうらやむ大規模電子化が実現したのである（図2―24）。

電子化された本のうち、調査により著作権保護期間が満了していると判断されたものについてはウェブで公開されており、満了していないものについても国立国会図書館内と、配信が認められた公立・大学図書館内で閲覧できる（表2―3）。同館におけるデジタル化の進捗状況はデジタル化資料二七九万点、うちウェブ公開資料が五六万点、図書館送信対象資料が一五三万点（絶版などの理由で入手困難なもの）となっている（二〇二一年三月末現在）(24)。この図書館送信対象資料が個人にも送信可能となったことは前述のとおりである。

なお、新型コロナウィルス感染拡大にともなう教育機関の休校、図書館の休館などの事態をうけ、「情報アクセス機会拡大のためのデジタル化推進」のため、二〇二〇年度に補正予算六〇億円（うちデジタル化経費四五億円）がつき、再度デジタル化の推進が可能となった。これにより、図書資料のデジタル化やOCR化の開発などが行われている（表2―3）。

（3）インターネット・アーカイブの書籍電子化

印刷（タイプ）された文字を読み取る光学文字認識システム（Optical Character Recognition: OCR）は一九五〇年代に米国で開発されたが、これらは特定のフォントやレイアウトに特化したものであった。任意のフォントやサイズの文字の認識技術は一九七四年にレイ・カーツワイル（Ray Kurzweil）が発明した。かれは合わせて現在のようなフラットベッド・スキャナも開発し、スキャンした画像ピクセルをコンピュータに取り込みこれをOCRで認識することに成功した。

書籍のスキャナによる電子化を最初に手掛けたのは、インターネット・アーカイブだと思われ

図2-25　Million Book Projectのデジタル化の様子（インド）

る。二〇〇二年四月二三日（国際図書デー）にインターネット・アーカイブはエジプトのアレキサンドリア図書館と契約し、書籍の電子化を開始した。一方カーネギーメロン大学は二〇〇二年一一月二七日にMillion Book Project（Universal Library）を発表、一五〇万冊の書籍をデジタル化に乗り出した（図2―25）。このプロジェクトには、浙江大学、インド科学大学、アレキサンドリア図書館が参加した。インターネット・アーカイブはここで電子化された書籍を提供するプラットフォームとして参加した。インターネット・アーカイブはその後独自の書籍スキャナScribeを開発、ボストン公共図書館など図書館と協力して電子化を進めている[25]。

インターネット・アーカイブにおいてデジタル化した書籍はOpen Library[26]から提供されている。ここではデジタル・レンディングという考えを取っており、図書館の蔵書で著作権が生きている書籍でもデジタル化を行い、図書カードを持っている利用者には、その本またはデジタル版のどちらか一点を貸し出す、という考えである。誰かが電子版を借りていれば、紙の本もデジタル版も他の人は借りることができない。こうすれば、著作権を侵害しないという考えである。

インターネット・アーカイブはこの考えを拡張し、二〇二〇年三月二四日に全米緊急事態図書館（National Emergency Library）を開始し、新型コロナウイルス感染症拡大の影響による読書・研究資料への前例のないニーズに対応するため、六月三〇日まで貸出枠一点という制限を取り払った。これに対して六月一日、大手出版社を代表する米国出版協会が提訴した。この裁判は継続中である。[27]

（4）グーグルの書籍電子化

グーグルは二〇〇四年一二月にGoogle Printプロジェクトを公表した。ハーバード大学、スタンフォード大学、ミシガン大学、オックスフォード大学、およびニューヨーク公共図書館と協力し、その蔵書一〇〇〇万冊以上をスキャン方式で電子化するという計画である。[28]、[29] このプロジェクト（後にGoogle Book Search、現在Google Books）は世界中の図書館を巻き込み、急速に進んだが、二〇〇五年には米国作家組合と米国出版社協会等から著作権法侵害との集団訴訟を起こされた。その後紆余曲折があったが、最終的に二〇一六年八月、米国最高裁が米連邦第二巡回区控訴裁判所のGoogle Books（検索目的でデジタル化しスニペット

（ヒットした部分）だけを表示する）は著作権法侵害にあたらないとの判断を支持して決着した。この間グーグルは四〇〇〇万冊の書籍を電子化したと公表している。

（5）青空文庫

青空文庫はよく知られている電子書籍データである。[30] 青空文庫のプロジェクトは一九九七年に故富田倫生氏（図2―26）ら四名が設立した書籍電子化プロジェクトで、著作権の切れた書籍のテキストを、元の本（底本）の書き方やレイアウトに忠実に電子テキスト化したものである。二〇一八年八月時点で、一万四八九六点の作品が電子化されている。

図2-26　青空文庫呼びかけ人、故富田倫生氏（2006年12月11日、著作権保護期間の延長問題を考えるフォーラムのシンポジウム、筆者撮影）

青空文庫の特徴は

（1）原則として著作権保護期間が満了している作品なので、許諾なしに利用できる（一部著作権のある作品も含まれている）。

（2）すべてテキストデータで、

独自のタグでふりがなや段落などを指定している（XHTML版もある）。
（3）ウェブで公開されているデータは商用を含めて無許諾で使用できる。利用条件は一切ない。
（4）入念に校閲されているので、信頼性が高い。

このように非常に二次利用がしやすいことと、明治以来の古典作品を網羅していることから、日本で電子書籍が立ち上がったとき、アマゾンKindleも含め、ほとんどの事業者が青空文庫のテキストを基本セットとして活用した。その意味で青空文庫は日本の電子書籍の最大の貢献者ということができる。公共図書館に導入されている電子書籍も大半が青空文庫である。

青空文庫の運営、テキスト化と校閲はすべて無償のボランティアで行っている。筆者が大学にいたとき、ゼミで、学生に新美南吉の童話の入力をやってみてもらった。今はMS WordやOCRなどのツールがあるので、入力は簡単と思われるかも知れない。しかし実際にやってみるとなかなか大変であった。

MS Wordを使って入力する場合、かな漢字変換の結果、原本と異なる漢字や送り仮名になったりするので、慎重に入力する必要がある。たとえば「吾輩は猫である」が正しく、「我輩は猫である」は間違いである。

一方OCRでは、「一」と「長音」の区別がつかなかったり、振り仮名がでたらめに読み込まれて、文章がごちゃごちゃになってしまうなど、かなり汚い結果になってしまう。結局OCRは、チェック用にしか使えないことがわかった。

現在最大の問題点は、二〇一八年一二月に著作権保護期間が死後五〇年から七〇年に延長されたことで、これにより、保護期間が切れて新たに電子化が可能となる対象作品が当分（今から一五年ほど）は新たに出てこないことである。したがって、当面新たな作家の追加は望めず、これまでに著作権が切れた作家の作品の追加にとどまる恐れがある。

青空文庫の生い立ちや仕組みについては章末に掲載の参考書籍を参照されたい。

2—4　写真・動画

（1）写真

　写真は最も普及しているデジタルアーカイブのコンテンツである。たとえばヨーロピアーナではコンテンツの六二%が画像となっている。しかし、写真のデジタル・アーカイブとしては、ソーシャル・ネットワーク（SNS）の方が圧倒的に大きい。たとえばフリッカーは二〇一八年末に六四・七億件の画像を保存したが、フリッカーがスマグマグに買収された結果、ユーザ一人当たりの写真数が制限され、二〇一九年七月には二三・八億件に減少したとされているが、それでも膨大な数である。インスタグラムの場合、合計数は不明であるが、毎月の写真とビデオのアップロード数は一億件と推定されている。ただしSNSの画像はメタデータが不十分で、信頼できるデジタルアーカイブとはいえない面がある。メタデータが信頼できる写真を出版物やメディアに提供して成功しているゲッティ・イメージは三億五〇〇〇万件の画像を提供している。

著作権に抵触せず自由に使用できる写真アーカイブとしては、ウィキメディア・コモンズ[31]やフリッカーのThe Commons[32]がある。どちらも日本語でも検索できるが、見つからないときは英語でも試す必要がある。これらをまとめて検索するには、Openverse[33]（元CC Search）が便利である。使用条件（商用を含む、改変を含む）を設定して検索することができる（図2—27）。

図2-27　Openverseで「神輿」で検索したの写真、CCライセンスが表示されている（https://wordpress.org/openverse/image/fba19eae-3b89-4401-b040-cfa42e23891b/）

公益社団法人日本写真家協会の日本写真保存センターでは、写真原板を保存し、デジタル化して「写真原板データベース」として公開を始めた[34]。二〇二二年六月現在二三二人の写真家の二万一九六九コマの写真を検索・閲覧できる

図2-28 「写真原板データベース」の検索結果。沖縄守礼の門を背景に化粧する沖縄女性

（図2—28）。現在ジャパン・サーチから検索できる。

参考書籍
青空文庫編『青空文庫へようこそ――インターネット公共図書館の試み』大日本印刷，一九九九―一一，一八一．
野口英司『インターネット図書館 青空文庫』はる書房，二〇〇五―一一―〇一，一七三．

注
（1）大阪市立図書館デジタルアーカイブ．http://image.oml.city.osaka.lg.jp/archive/（参照 二〇二二―〇八―〇八）．
（2）国立国会図書館 関西館電子図書館課．資料デジタル化の基礎．二〇一八―〇七．https://www.ndl.go.jp/jp/library/training/remote/pdf/siryo_remote_digi_basic_2019.pdf（参照 二〇二二―〇七―二四）．
（3）嘉村哲郎「文書資料のデジタル化」『デジタルアーカイブ学会誌』二〇二一，五（二），九一―九四．
（4）オルセー美術館 プレシジョンリマスターアート．https://www.youtube.com/watch?v=xEBUh3ywX1U（参照 二〇二三―〇一―二五）．
（5）日本写真印刷コミュニケーションズ株式会社「「フォトグラメトリ」とはどういうもの?」https://www.nissha-comms.co.jp/column/arvr3d/what_is_Photogrammetry.html（参照 二〇二二―〇七―二四）．
（6）BUILT「「中銀カプセルタワービル」を丸ごと3Dデータ化、デジタルアーカイブで後世へ残す」二〇二二―〇六―一五．https://built.itmedia.co.jp/bt/articles/2206/15/news163.html（参照 二〇二二—〇七—二四）．

（7）　Goolge Arts & Culture: Collections. https://artsandculture.google.com/partner（参照 二〇二二—〇八—一一）．

（8）　国立博物館所蔵品統合検索システム（ColBase）．https://colbase.nich.go.jp/（参照 二〇二〇—〇五—二四）．

（9）　国立科学博物館．標本・資料統合データベース．http://db.kahaku.go.jp/webmuseum/（参照 二〇二二—〇七—二八）．

（10）　文化遺産オンライン．https://bunka.nii.ac.jp/（参照 二〇二〇—〇五—二四）．

（11）　Japan Search. https://jpsearch.go.jp/（参照 二〇二二—〇八—一九）．

（12）　Europeana. https://www.europeana.eu/en（参照 二〇二二—〇八—一九）．

（13）　古山俊介「Europeanaの動向：「欧州アイデンティティ」および「創造性」の観点から」『カレントアウェアネス』（三一四），一七—二三，二〇一二—一二—二〇．

（14）　時実象一「欧州の文化遺産を統合するEuropeana」『カレントアウェアネス』（三二六），一九—二五，二〇一五—一二—二〇．

（15）　時実象一「 Europeana Network Association 年次総会参加報告」『デジタルアーカイブ学会誌』二〇一八，二（一），三七—三九．

（16）　時実象一・前沢克俊・緒方靖弘「EuropeanaTech 2018参加報告」『デジタルアーカイブ学会誌』二〇一八，二（四），三八五—三八九．

（17）　時実象一「Europeanaネットワーク協議会の総会（Europeana 2019）参加記」『デジタルアーカイブ学会誌』二〇二〇，四（三），三〇〇—三〇四．

（18）　時実象一「Europeana 2000（オンライン）参加記」『デジタルアーカイブ学会誌』二〇二一，

五（二）、一二五―一二九．
(19) DPLA. https://dp.la/（参照二〇二一―〇八―一九）．
(20) 塩崎亮・佐藤健人・安藤大輝『米国デジタル公共図書館（DPLA）の過去・現在・未来』『カレントアウェアネス』（三二五）、一五―一八、二〇一五―〇九―二〇．
(21) 時実象一「米国デジタル公共図書館（Digital Public Library of America: DPLA）」『図書館雑誌』二〇一三、一〇七（二）、一一八―一二〇．
(22) Cultural Japan. https://cultural.jp/（参照二〇二一―〇八―一一）．
(23) 国立国会図書館デジタルコレクション．https://dl.ndl.go.jp/（参照二〇二一―〇六―一八）．
(24) 国立国会図書館．資料デジタル化について．https://www.ndl.go.jp/jp/preservation/digitization/index.html（参照二〇二一―〇五―〇六）．
(25) 時実象一「世界の知識の図書館を目指すInternet Archive　創設者Brewster Kahleへのインタビュー」『情報管理』二〇〇九、五二（九）、五三四―五四二．
(26) Open Library. https://openlibrary.org/（参照二〇二一―〇八―〇八）．
(27) カレントアウェアネス・ポータル．二〇二〇―〇六―〇三．米国の複数の大手出版社がInternet Archive（IA）に対する著作権侵害訴訟を提訴
(28) 時実象一「大学図書館書籍アーカイブHathiTrust」『情報管理』二〇一四、五七（八）、五四八―五六一．
(29) 時実象一「訂正：大学図書館書籍アーカイブHathiTrust」『情報管理』二〇一六、五八（一二）、E3．
(30) 青空文庫．https://www.aozora.gr.jp/（参照二〇二〇―〇五―二四）．
(31) Wikimedia Commons. https://commons.wikimedia.org/wiki/Main_Page（参照二〇二〇―〇五―一二

四）.

（32）Flickr. The Commons. https://www.flickr.com/commons（参照 二〇二〇—〇五—二四）.

（33）Openverse. https://wordpress.org/openverse/（参照 二〇二二—〇八—一一）.

（34）日本写真保存センター．写真原板データベース．https://photo-archive.jp/database/（参照 二〇二二—〇六—二二）.

第3章　メディアを保存するデジタルアーカイブ

3—1　新聞

(1) 日本の新聞記事アーカイブ

現在日本の三大全国紙はすべて創刊号からの紙面をスキャンして画像としてデジタル化し、データベースとして提供している（図3—1）。これにより、過去の新聞紙面は広告から連載漫画、連載小説まで自由に読むことができる（図3—2）。広告の歴史的変遷などが簡単に調査できるなど、その時代を知るための第一級資料である。なお新聞記事データベースは有料購読制なので、大学で契約している新聞を閲覧するか、公立の図書館に出かけていって閲覧する必要がある。

各記事には新聞社が独自にキーワードを付与しているので記事の検索が可能である。筆者はこのアーカイブを使って、明治以来の「コピペ」の歴史を調査した。当然ながら言葉は時代によって異なる。「コピペ」は過去には「剽窃」、「模倣」、「盗用」、「盗作」などと呼ばれていた。このように多様な語で検索するのが新聞アーカイブの調査のポイントである。

新聞記事がデジタルで製作されるようになってからは、記事単位の提供となり、残念ながら紙面全体の提供はされなくなった。したがって、広告や連載漫画を調査しようと思ったら、マイクロフィルムを見るか縮刷版を手でめくるしかなくなった。

逆に検索という点で考えると、文字としてデジタル化された最近の記事は、記事中の単語で簡

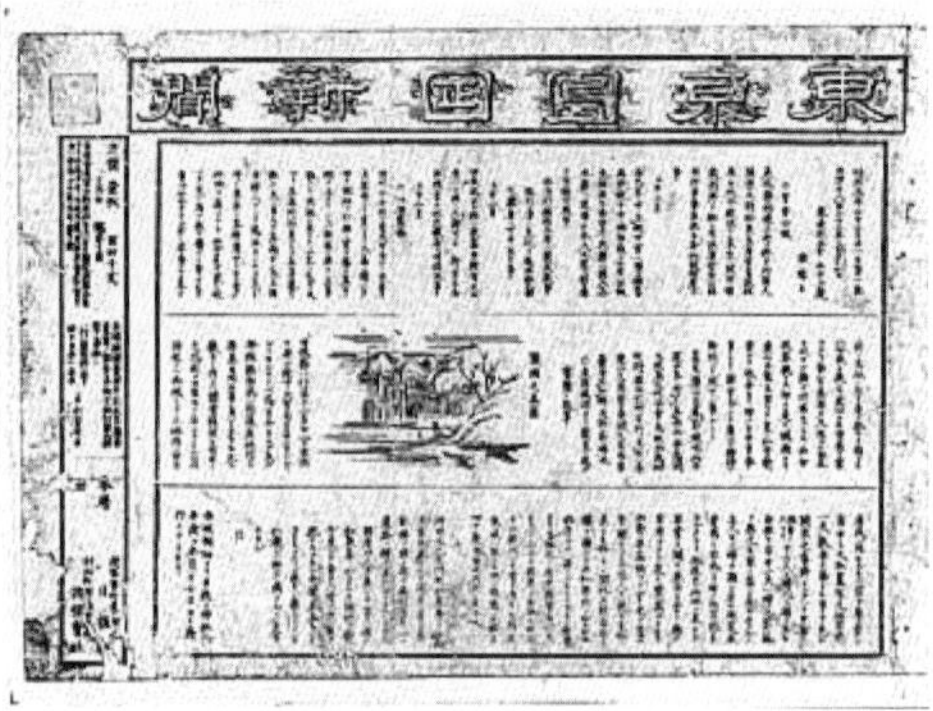
東京日日新聞

図3-1　東京日日新聞創刊号（1872年創刊）（後の毎日新聞）

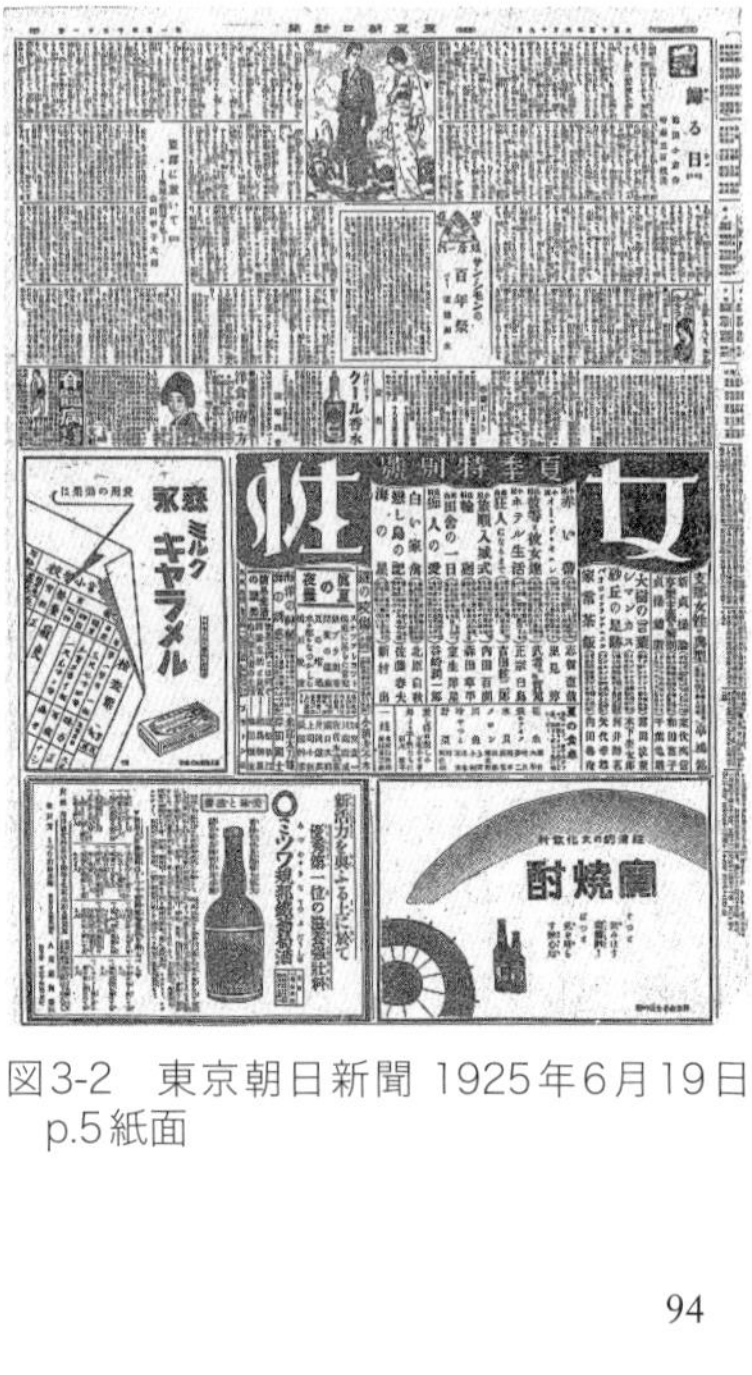
夏季特別號
ミルク
キャラメル

図3-2　東京朝日新聞 1925年6月19日 p.5紙面

単に検索できる（全文検索）のに対し、過去の紙面の場合、新聞社が記事を読んで付与したキーワードからの検索となり、細かい検索は難しい。そこでOCRが望まれるのだが、古い紙面では旧字である、印刷が鮮明でない、などの理由でこれまでOCRが困難であった。しかし最近のAI支援OCRの進歩により、こうした過去の紙面も全文検索できるようになる日が近いと思われる。そうなると、歴史資料としての新聞の価値は絶大なものとなる。

（2）日本の新聞のデジタル化

新聞はかっては鉛活字を手作業で拾って並べることにより版組みされていたが、一九世紀末にモノタイプという、タイプライタで入力した文字を自動的に鉛活字に鋳造する機械が発明され、自動化が進んだ。モノタイプは映画『ペンタゴン・ペーパーズ／最高機密文書』に出てくる。日本に漢字モノタイプが導入されたのは一九五〇年代末である。

一九六〇年代になって活字を使わず、感光性フィルムに写真技術で文字を印刷し、オフセット方式で印刷する写真植字機が導入され、これにともないテキストも電子的に作成する電算写植方式が新聞製作に導入された。これが新聞の電子化の始まりといえる。一九七〇年代に入り、レイアウトを指定して文字を組める組版システムが実用化され、これにより本格的な新聞の電子化が実現した。

こうして新聞記事のテキストが電子化され、そのデータはオンライン検索サービスで提供されるようになり、現在に至っている。最近の新聞記事のデータベースでは写真や図も含んだ記事切り抜きＰＤＦが提供されるようになっている。

（3）地方紙のアーカイブ

日本ではほぼすべての都道府県に少なくとも一紙の地方紙が存在する。その地方紙のアーカイブ状況について、二〇一七年に新聞協会の支援を受けて調査が行われた[1]。その結果、3／5程度（紙数）の地方紙がデジタル化データを作成済であるが（図3―3）、これは画像データにとどまり、テキスト化を行っているのはごく一部に限られることがわかった（図3―4）（横軸は西暦年、縦軸は紙数）。その理由として考えられるのは、一つはＯＣＲの性能が悪く、過去の紙面が正確にデジタル化できないこと、もう一つはテキスト化したときのビジネスモデルが明らかでないことがあると思われる。前者については、ＡＩ支援ＯＣＲの進歩により解決の見通しがある。今後は後者についてさらなる努力が必要と思われる。

（4）Europeana Newspapers

Europeana Newspapers はユーロピアーナのコンテンツのひとつである[2]。

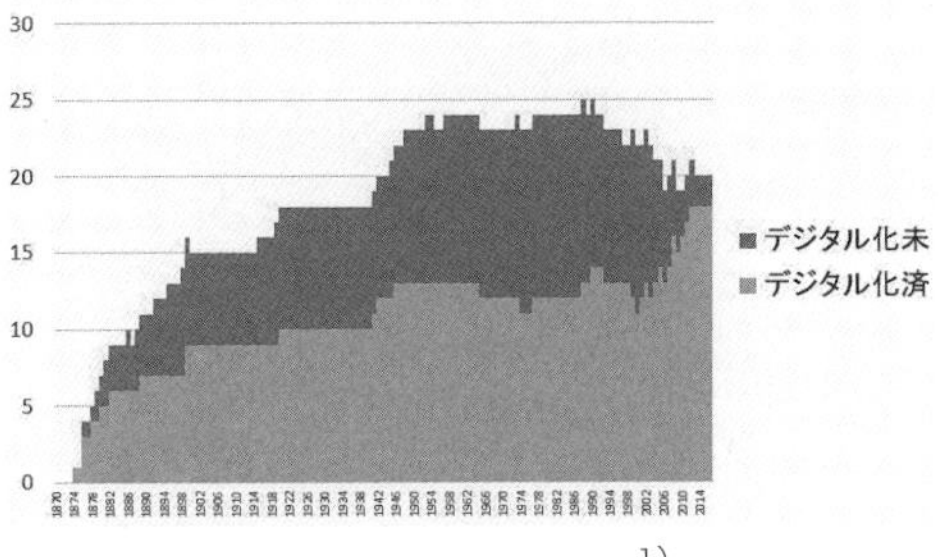

図3-3　地方紙のデジタル化の状況[1)]

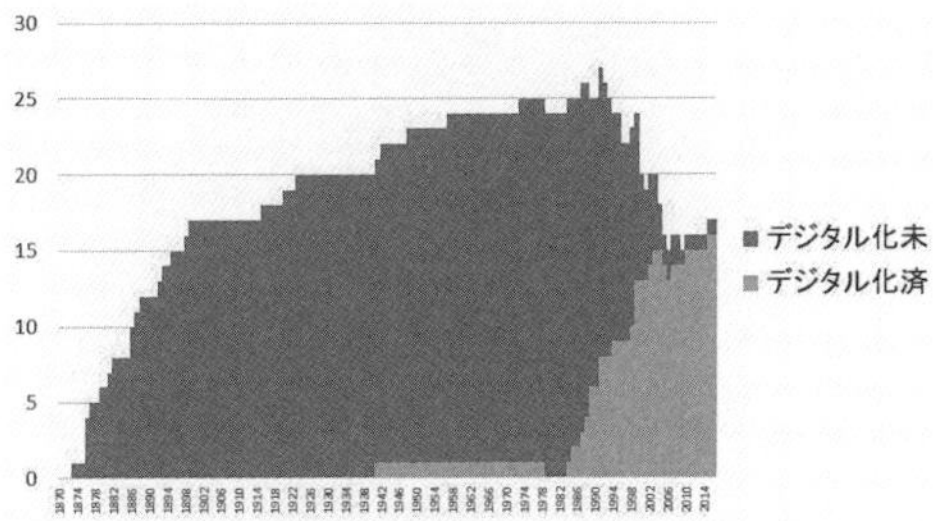

図3-4　地方紙のデジタル・テキスト化の状況[1)]

　このプロジェクトはECの資金により、二〇〇七年から二〇一三年まで行われ、一二ヵ国一八〇〇万ページの新聞がデジタル化され、そのうち一〇〇〇万ページはOCRにより全文テキスト化している。日本語と異なり、ラテン文字のOCR化は比較的容易なためである。新聞によっては、図3—5のように検索した記事が特定（ゾーニング）されている。詳細については筆者の記事を参照されたい。(3)

（5）全米新聞デジタル化プログラム

　全米新聞デジタル化プログラム（NDNP）は米国議会図書館と全米人文科学基金との共同プロジェクトで、すでに全米四〇州と自治区の新聞二〇〇〇紙、一〇〇〇万ページ（一八三六年から一九

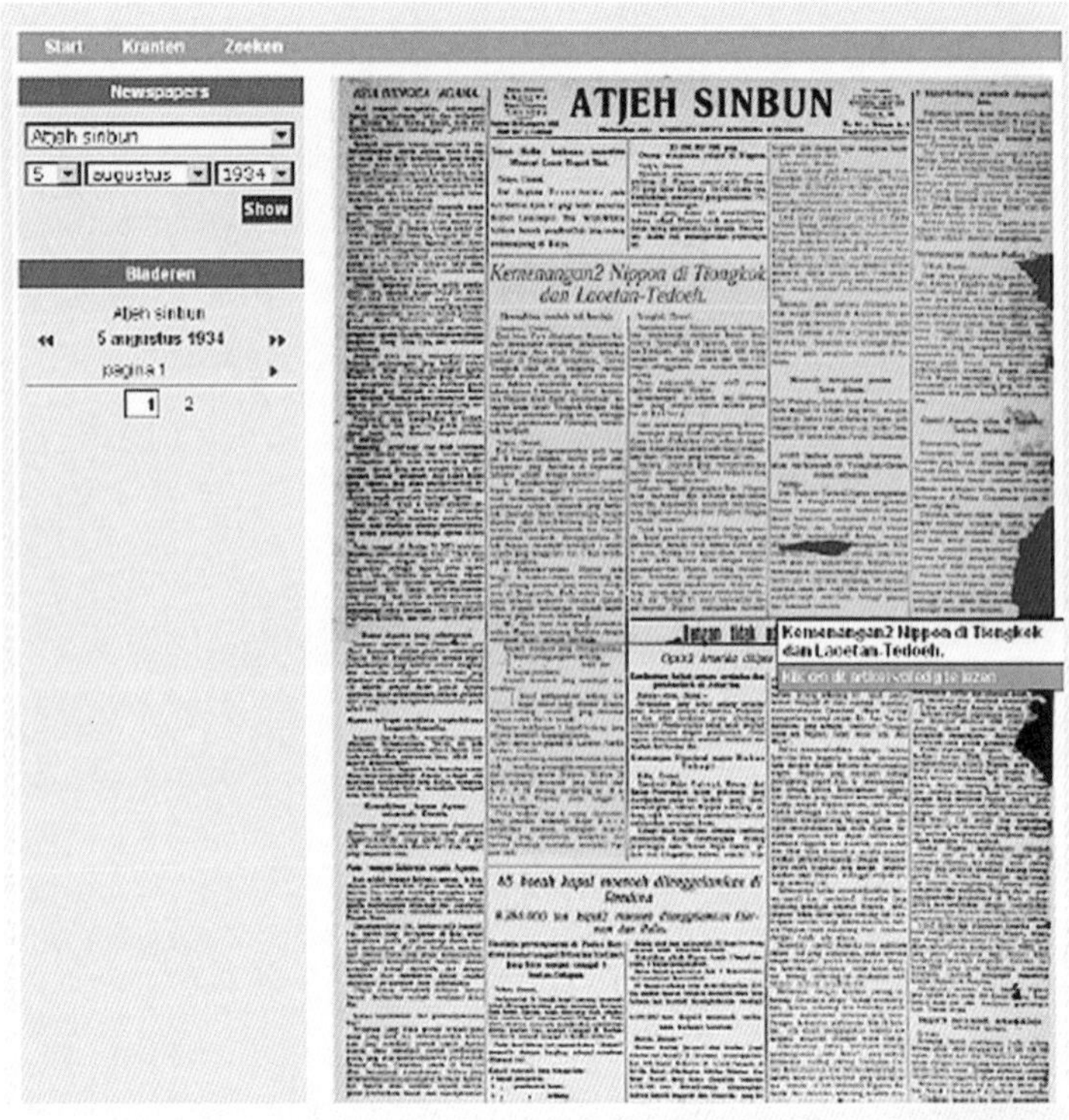

図3-5　Europeana Newspapersの記事例（背景がグレーのところがヒットした記事）

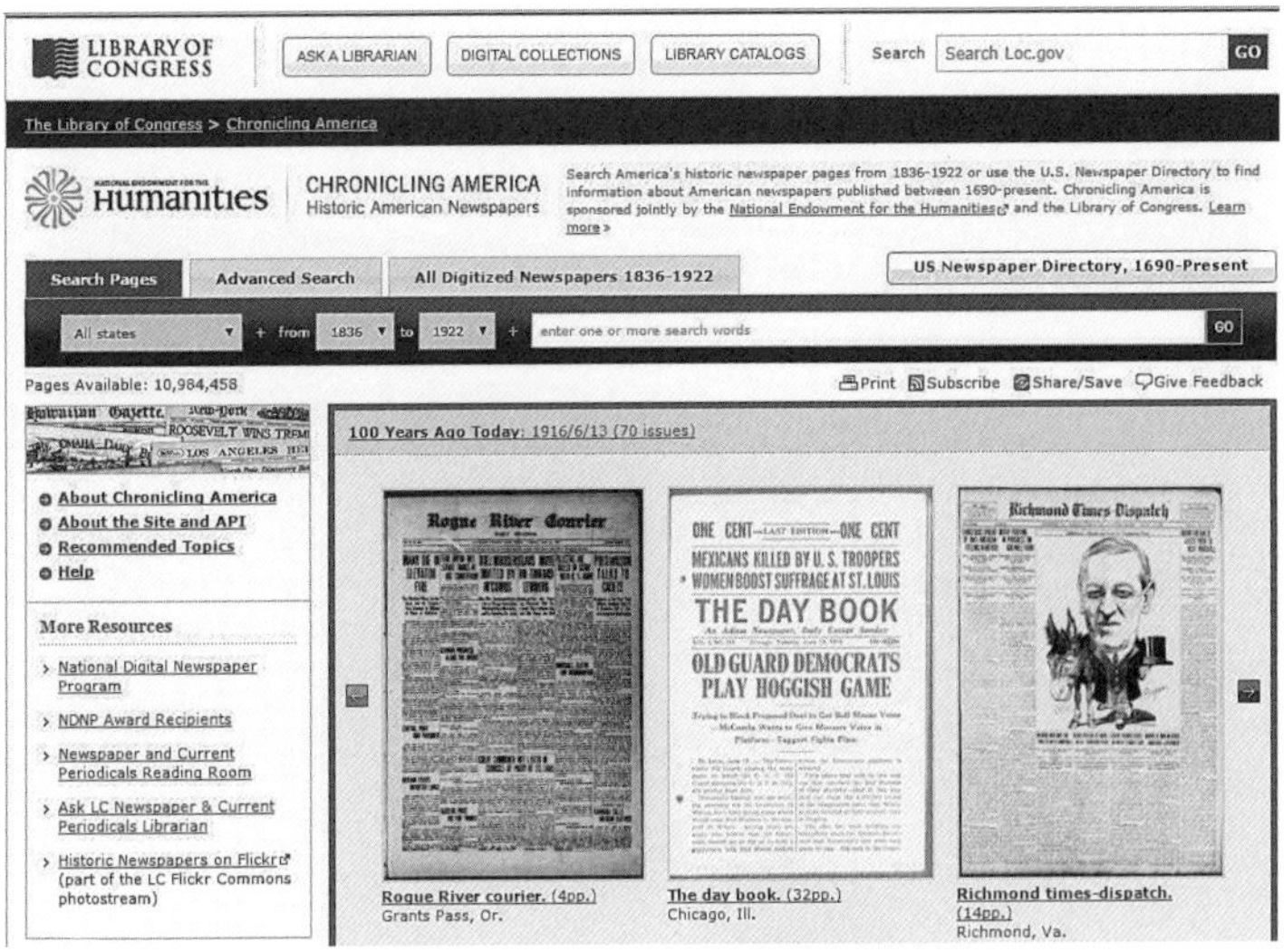

図3-6　Chronicling Americaの記事例

二二年までのもの）をデジタル化し、Chronicling Americaというサイトから無料提供している(4)（図3—6）。一九二二年までという意味は、米国の著作権法で一九二二年以前の著作物は保護期間が満了しているとみなされているためである。詳細については筆者の記事を参照していただきたい(5)。

3―2　テレビ

（1）テレビ番組の記録

テレビ放送開始初期はＶＴＲがないため生放送しかなかった。一九八五年に日本に導入されたビデオテープも高価なものであったため再利用することが多く、前の番組は上書きされてしまった。一二四四回も放送された「ひょっこりひょうたん島」も八回分しか残っていないとのことである。

そういった状況があり、一九八一年からＮＨＫは本格的に番組を保存し始めた。しかし、番組の保存・活用に要する放送センター内でのスペースが手狭になったため、二〇〇三年二月一日、埼玉県川口市さいたま新産業拠点ＳＫＩＰシティー内にＮＨＫアーカイブスをオープンした。(6)

(2) NHKアーカイブス

(a) アーカイブの方法

二〇一九年時点でNHKアーカイブスで保存される元のコンテンツはVTRテープであるとのことである。その理由として、現在も放送局の制作・送出システムで使用する記録媒体の主流であること、デジタル化した電子ファイルをハードディスクなどの電子媒体で保存していくことはかえって非効率であることなどがあるからである。ただし映像フィルムやアナログテープはデジタルテープにコピーして保存している。アナログテープはコピーしてしまうと破棄しているが、フィルムは今後ハイビジョンの可能性も残されているため「オリジナルの大切さ」を考慮し、保管している。テープの保管はNHKアーカイブスの三F、四Fの温度二〇℃~二五℃、湿度五〇%±一〇%の保管庫に保存され、フィルムは温度一五℃、湿度五〇%±五%の保管庫で保存されている。

(b) 公開

こうしてデジタル化・保管された映像は「NHKアーカイブス」(7)（図3−7）など一般の人々への外部提供に利用される。局内利用では、「NHKアーカイブス」「NHK映像ファイル・あの人に会いたい」「新日本紀行ふたたび」「蔵出しエンタテイメント・ビッグショー」といった番組でアーカイブ映像が活用されている。インターネットサービスとしては、パソコンやモバイル端末にコンテンツを提供している。戦争体験のインタビューや戦争を伝えた当時のニュース映画や関連番組を配信する「戦争証言アーカイブス」、「ＮＨＫアーカイブス――災害」、ＮＨＫが保存する映像から日本各地の映像を視聴できる「都道府県別の映像ライブラリー『みちしる』」、「NHK for School」などがある。また放送日またはその翌日から、いくつかのテレビ番組を二週間有料配信する「ＮＨＫオンデマンド」などがある。また、ＮＨＫティーチャーズ・ライブラリーでは小・中・高等学校の授業でＮＨＫの番組を利用してもらうために、ＤＶＤを無料で貸し出すサービスを行っている。一部はオンライン視聴も可能である。

図3-7　NHKアーカイブス

(c) 問題点

さまざまな形態で多くの映像を配信しているＮＨＫアーカイブスの課題としては「権利処理」が挙げられ

ている。放送番組は放送局で働く人、出演者、放送作家、実演家（演奏者、歌手ほか）などの協力で制作されるため、著作権やそれに隣接する権利も有している。また、番組内で使用して音楽や文芸作品などにも、著作権が発生している。こうした多くの権利者に対して「放送使用」「ネット使用」の許諾を得て、初めて私たちの目に触れられるようになる。また再放送を行う際も、制作時に再放送の権利処理がなされてなければ再度権利処理を行わなければならない。(8) この点については現在放映されていない番組を「アウトオブコマース」とみなし、教育目的なら利用できるようにしようという提案を大髙崇氏が行っている。(9)

(3) フランスＩＮＡ

(a) 法定納入の歴史

日本では、新たに本を出版したら、国立国会図書館に納本しなくてはならないという納本制度がある。これを一般に法定納入といい、多くの国で類似の法律がある。法律では映画も法定納入の対象となっているが、現時点で「猶予」されている。テレビやラジオの番組は納入の対象となっていないので、アーカイブと公開は各局の自主性に任されており、文化の保存という点で問題である。海外を見てみると、フランスは法定納入の歴史が古い。表３―１にその歴史を示した。

表3-1　法定納入の歴史[11)12)]

年	項目
1537	フランソワ1世の「モンペリエの勅令」で王城の図書室に1冊納入を義務付け
1810	ナポレオン、警察庁へ納本と定める
1925	写真・レコード・映画の納本
1992	INAへのテレビ・ラジオ番組の法定納入が法制化
1994	すべてのラジオ公共放送へ拡大
1995	国内すべてのテレビ放送へ拡大
2002	ケーブルTVと衛星放送の番組、一部の商業放送のラジオ番組へ拡大

（b）法定納入の仕組み

フランスにおけるテレビとラジオ番組の収集はＩＮＡ（Institut national de l'audiovisuel: 国立視聴覚研究所）というパリ郊外にある機関が行っている。筆者の調査報告があるので参照していただきたい[(10)]。ＩＮＡへのテレビ番組法定納入は一九九五年に始まった。フランスのテレビ局一〇二局をカバーしている。

二〇一七年現在一六八チャンネルを二四時間／毎日キャプチャーしている。収集は主としてＩＮＡ本社で行っているが、地方の番組は、リヨン、マルセーユなどに置かれた地方支部で収集している。すでに八〇年分の番組（テレビは七〇年分）を収集している。

法定納入は公共放送（FranceTV）だけでなく商用放送にも適用される。法定納入された番組は一四〇〇万時間ある。これは一〇二テレビ局、六六ラジオ局が対象である。これらは学術・研究利用のみであるが、ニュース番組や、公共テレビ局が独自（または共同）製作した番組はＩＮＡが商用提供できる。

図3-8　テレビ番組キャプチャーのモニター画面

当初はベータなどのテープ納品だったが、これがDITAテープ、LTOテープとなり、アナログからデジタルになり、今は二四時間直接キャプチャーになっている。図3―8はキャプチャー中のテレビ番組が流れるモニター画面である。

（c）INAthèque

法定納入された番組は一般のアクセスはできないが、学術・研究用にINAthèque から利用できる。INAthèque はフランス国立図書館（BnF）（新館）その他の施設でアクセスできる。二〇一七年時点で大学・図書館など三二施設とINAの支部（七ヵ所）が対象となっていた。図3―9はディジョン市立図書館でINAthèqueがアクセスできるようになったことを知らせた記事である。

長井暁氏の調査によると、利用者は学生が六一%、視聴覚産業の専門家が二四%、教授・研究者が九%、その他が六%となっている。専門分野は歴史二四%、情報・コミュニケーション一九%、文学一五%、映画・オーディオビジュアル一四%などである。[11]

Dijon : les fonds d'archives de l'INA et de la BNF disponibles à la bibliothèque municipale

Publié le 13/03/2017 à 11h27
Mis à jour le 13/06/2020 à 03h55
Écrit par Léo Bonizec

図3-9　フランス、ディジョン市立図書館でINAtequeのテレビアーカイブが見られるようになった（https://france3-regions.francetvinfo.fr/bourgogne- franche-comte/cote-d-or/dijon/dijon-fonds-archives-ina-bnf-disponibles-bibliotheque-municipale- 1213251.html）

（4）インターネット・アーカイブのTV News

米国の民間アーカイブ機関インターネット・アーカイブはテレビのニュース番組を収集して公開している。アメリカでこのようなことができるのは、同国ではテレビ・ニュース番組の録画・アーカイブが法律で許されているからである。米国著作権法第一〇八条のf（3）では、

図3-10　インターネット・アーカイブ TV Newsで公開されている Deutsche Welle放送局の2022年8月10日のニュース画面(8月11日にキャプチャ)、画面下にキャプションが表示されている

図書館や文書館は、音声画像のニュース番組を複製または貸し出しすることができると明記している。

インターネット・アーカイブは二〇一二年秋より、これらをTV Newsというサイトで公開している[13]。現在二〇二〇年から最新のニュースまでが検索・閲覧できる。対象としているTVニュースは、米国全国ネットのほかローカル局、一部外国局も対象としている。

米国では聴覚障害者などの支援のため、一九九一年の法律により、各テレビ局が番組にキャプション（Closed Caption: CC）をつけることが義務付けられており、そのキャプションはテレビ放送でも、ネット放送でも利用ができる。インターネット・アーカイブでは、受信したプログラムから、ニュース番組を自動抽出し、そのキャプションと

朝日新聞　2012年4月5日　朝刊　15ページ　東京本社

私の視点

愛知大教授
時実《ときざね》　象一《そういち》

ニュース映像
公共利用に道を開いて

東日本大震災1年にあたり、テレビ各局は多数の特集番組を放映した。それらは当時のニュース映像や、個人から集めた映像を活用している。確かに将来に残すべき貴重な映像ではあるが、ある意図や構図で切り取られ、加工し編集された点で二次的といえる。生の記録であった元のニュース映像とは微妙に異なるのである。

米国のインターネット・アーカイブという団体は「Understanding　9／11」というサイトで、2001年9月11日に発生した米同時多発テロの際、世界各国の20局で流れたテレビニュース番組を、事件当日から1週間分公開している。ちなみにこの団体は、00年以降、この20チャンネルの記録を続けている。

また、米テネシー州のバンダービルト大学は、1968年からABC、CBS、NBCの米3大ネットワーク、95年からはCNNも加えたニュースアーカイブを作成しており、手数料を払えば誰でもDVDのコピーを借りられる。

これが米国で可能なのは、テレビニュース番組の図書館などによる録画・アーカイブ化が、著作権法の例外規定によって許されているからである。

しかし、日本の著作権法の規定では、個人的に録画することはできても、録画したものをアーカイブとして一般の利用に供するには許諾が必要であり、ましてネットで公開することは困難である。

日本の著作権法は個人の利用や教育・研究目的には適切に道を開いてはいる。ただ、アーカイブのような公共的な利用については、これまでほとんど考慮されてこなかったことが背景にある。

主要テレビ局は後で利用するため、ニュース映像を蓄積・保存している。とはいえ、一般公開を前提にしてはいない。また、保存されていても、倒産や廃業すれば、記録が散逸する可能性もある。

ニュース番組は歴史の記録としての価値が極めて高い。米国のように著作権法の例外規定を設け、図書館や大学などの研究機関におけるアーカイブと貸し出しを可能にするべきだと考える。

そのために、番組のコピーに一定の制限をかける「ダビング10」をニュース番組については外してもらいたい。ダビング10は映画や音楽番組などの商業的なコンテンツを、無断利用などの海賊行為から保護するために設けられた。ニュース番組はそれにあたらない。

公共の電波を扱うテレビ局にとって、公共のアーカイブに資料を提供するのは市民への奉仕、利益の還元の意味もある。テレビニュースという貴重な記録を保存する道を今こそ、開くべきである。

図3-11　「ニュース映像　公共利用に道を開いて」（朝日新聞．　2012-04-05）

ともに保存している（図3—10）。キャプションは画面と同期しているので、閲覧のとき、必要な場所を検索できる。

日本でもテレビニュースを国立国会図書館で保存しようという動きがあったが、テレビ局側から「検閲になる恐れがある」との反対意見がでて実現しなかった。その時の筆者のコメントを図3—11に示す。

3―3　映画

（1）映画の歴史

蒸気機関など産業革命を牽引した発明の多くは英国で行われた。発電機とモーターも英国のファラデーが先鞭をつけている。その後電燈、電話、電信、蓄音機、などの電気の生活面での応用は、エジソンやベルなど、当時勢いを増してきた米国で行われた。そこでついつい写真や映画も米国で発明されたのだろうと思いがちであるが、そうではない。

最初の写真といわれるものはフランス人ルイ・ジャック・マンデ・ダゲール（Louis Jacques Mandé Daguerre）が一九三九年に発明したダゲレオタイプである。これは銅版にヨウ化銀を塗布し、これを感光させて写真を撮るものである。

写真の基材としては銀板、紙、ガラス板などが使われたが、一八八五年に英国のJohn Carbutt

図3-12　ダゲレオタイプによるエドガー・アラン・ポーの肖像。1848年（https://commons.wikimedia.org/w/index.php?curid=23384）

がセルロイドを使うことを考案し、映画に使えるようないわゆる「フィルム」が登場したことになる。

最初に映画を発明したのはフランスのリュミエール兄弟である（図3―12）。彼らの父親はダゲレオタイプを使った写真館を開いていた。その影響で兄弟は写真技術に関心を持ち、一八九四年にスクリーンに投影できる動画装置、シネマトグラフ・リュミエールを発明した。動画装置自体はエジソンが発明したキネトスコープ（一八九三年）の方が早いが、これは窓からのぞくパラパラ写真であって、映画とはいえない。フランスのリヨンには「リュミエール研究所」や「リュミエール美術館」がある。

（2）映画フィルムはどんどん劣化する

筆者の義理の父杉浦睦夫は、胃カメラを発明したことで多少知られている[14]。とにかく新し物好きで、光学業界にいたこともあり、戦後まもないころに一六mmの家族映画などをいろいろ撮影している。筆者は最近これらのデジタル化を試みたが、一部のフィルムは図3―13のように劣化してねじれてしまって、デジタル化は不可能であった。

残っている他のフィルムも、多くは酢の強いにおいがする。これはビネガー・シンドロームといって、当時のフィルムが酢酸セルロースでできていたため、時間がたつと分解して酢酸が分離し、それが触媒となってさらに分解が進み、ついにはしわしわになってしまう。もっと古い映画フィルムはニトロセルロース（セルロイド）でできており、これは温度が上がると自然発火するため、多くのフィルムは火災で焼失した。名作『ニュー・シネマ・パラダイス』にはフィルムの発火によって映画館が焼失するシーンが出てくる。その後開発されたポリエステル・フィルムは安定していて長期の保存に耐えるが、肝心の映画製作と上映がフィルムからデジタルに移行し、フィルム映画の製作はほぼ終了した。

図3-13　ビネガー・シンドロームにより、縮んでねじれてしまった映画フィルム（筆者撮影）

このように、過去の映画フィルムはフィルムの劣化や焼失の前にできるだけ早くデジタル化して、内容を保存する必要がある。

なお、デジタル化できた杉浦睦夫のフィルムには、六〇年以上前の多摩川の河原でのピクニックが映って

図3-14　多摩川、小田急線鉄橋附近でのピクニック（杉浦睦夫撮影の映画の一部。1950年頃と思われる）

いる（図3―14）。

テレビが始まったのち、過去の映画フィルムをテレビで上映することが頻繁に行われた。映画フィルムをビデオテープに変換するためにテレシネという装置が開発された。これは単純に映画フィルムを映写し、これをビデオ撮影するという考えである。その流れでビデオがデジタルになれば映画がデジタル化されることになる。現在はスキャナという装置により、映画フィルムを通った光はセンサーで受光され、直接デジタル化される。

実際には

・フィルムが物理的に劣化、破損、または汚れている
・画像やカラーが劣化・褪色している
・画像に傷やごみがついている
・音声が劣化している

などの問題があるため、

・フィルムの洗浄や修復
・グレーディング（補正）

などの作業が必要となる。商業的な映画の場合、多数のポジ・ネガの中から良い部分を組み合わせ、グレーディングを行ってデジタル・リマスターを作成することになると、膨大な作業が必要となる(15)。

商業映画フィルムのデジタル化は前述のようにテレビ上映や家庭用DVD／BDのために広く行われているが、非商業映画や家庭映画のデジタル化も最近行われるようになった。

(3) 日本の映画アーカイブ

(a) 国立映画アーカイブ

国立映画アーカイブ(16)の前身は東京国立近代美術館フィルムセンターである。東京都中央区京橋にあった映画会社日活の本社ビルを入手・改装して、映画上映のできるフィルムセンターとして長年活動している（図3―15）。

図3-15（右）　東京京橋にある国立映画アーカイブの外観（https://commons.wikimedia.org/wiki/File:MOMAT_FilmCenter.jpg）
図3-16（左）　国立映画アーカイブ相模原保管庫のフィルム専用キャビネット（筆者撮影）

国立映画アーカイブは相模原市に映画専用の保管庫を持っている（図3―16）。

フィルムの低温保存を行い、前述のビネガー・シンドロームの進行を遅らせるようにしている。二〇二〇年二月末時点で八万二九四六本（うち日本映画七万二四四三本、外国映画一万五〇三本）が保管されている。

（b）科学映像館

二〇〇七年、科学映画をデジタル化、保存・管理し、活用するという目的で元城西歯科大学（現・明海大学）歯学教授久米川正好氏の努力でNPO法人科学映画館を支える会、科学映像館サイトが設立された(17)。そのいきさつや苦労については久米川氏が書いている(18)。

二〇二二年七月二一日現在で一一八八本の科

図3-17　科学映像館

学・産業映画が公開されている（図3―17）。

（c）記録映画保存センター

二〇〇七年七月東京大学で記録映画の保存と利用研究会が発足、その後二〇〇八年七月、岩波映画製作所のフィルム原版が、日立製作所から東京大学・東京藝術大学へ寄贈されるのを契機に、非営利の一般社団法人記録映画保存センターが設立された[19]。制作会社、企業、団体、文化施設等から受け入れたフィルムを整理し、国立映画アーカイブへ寄贈保管する活動を行っており、これまでに約一万本のフィルムを保存している。連携している東京大学大学院情報学環が行っている「記録映画アーカイブプロジェクト」では、デジタル化したフィルムの上映会・ワークショップも実施している[20]、[21]。

図3-18　「あなたのフィルムが歴史をつくる」プロジェクトで収集されたホームムービー

(d) ホームムービー、地域映像

日本の全国各地で、個人の押し入れや学校の倉庫に眠っていた映画フィルムの発掘とデジタル化が行われている。国際的には、世界中の都市で同じ日（毎年八月の第二土曜日に設定）に家庭に眠るホームムービーを発掘・上映するという「ホームムービーの日」が実施されている。[22] オーストリアの映画アーカイブ、Filmarchiv Austriaでは、各州の政府や放送局と共同で「あなたのフィルムが歴史をつくる」というプロジェクトを立ち上げ、ホームムービーの収集とデジタル化を行ってきた。二〇一九年時点で一一万本を超えるホームムービーを収集している[23]（図3―18）。

日本のALPS Picturesでは、八ｍｍなどのホームムービーを集めて地域映画にまとめる仕事を行っている[24]（図3―19）。この発掘作業には驚きもある。『ALWAYS 三丁目の夕日』の映画監督、山崎貴氏が中学三年生のときに作成したＳＦ映画が発見されたと報道された（朝日新聞・二〇二二―〇八―一七，夕刊）。これはALPS Picturesの代表で映画監督の三好大輔氏が支援している「まつ

ALPS
PICTURES
FILM WORKS
OTHER WORKS
EVENT
DVD
ABOUT
CONTACT
地域映画
Regional Filming
地域映画とは、その土地に眠っている8ミリフィルムなどのホームムービーを掘り起こし、市民とともに映画づくりの過程を共有し、新たな映画に仕立て上げる地産地消の映画です。回想法、地域教育や博物館等の映像史料としての活用が可能になります。地域住民を巻き込んだプロジェクトは地域活性化にも寄与します。
かさま郷想曲
浦賀の映画学校（2020年）
つながり（2020年）
かさま郷想曲（2019年）

図3-19　ALPS Picturesの「地域映画」

もとフィルムコモンズ」のプロジェクト[25]の中で見つかったものである。

日本で地域の映像を集めている団体は意外に多く、映画保存協会が作成している「地域映像アーカイブリンク集」には五四件ものプロジェクトが記載されている[26]。新潟大学では、地域に保存されている写真や動画を集め、デジタル化するプロジェクト「にいがた地域映像アーカイブ」を進めている[27]。

（4）欧米の映画アーカイブ

フランスでは文化・コミュニケーション省直属の国立機関、国立映画センター（略称ＣＮＣ）のアーカイブ部門が上映ヴィザを受けた全ての映画を法定納入している。ＣＮＣはシネマテーク・フランセーズ、シネマテーク・トゥールーズ、リュミエール研究所などのフィルム・アーカイブに補助金を交付している。CNCの主導権のもと複数のフィルム・アーカイブの役割分担、相互協力により、フランス全体でフィルム・アーカイブを実施している。

欧州は映画の発祥地フランスをはじめ、各国に映画アーカイブが存在する。多くは国立またはそれに準ずるが、Cineteca di Bolognaのように全くの民間のアーカイブもある。

アメリカ映画が世界を席巻する前は欧州が映画の中心地であり、一九三〇年代に各国で映画アーカイブが誕生した。しかし、第二次世界大戦により、多くの映画フィルムが焼失または紛失してしまった。各国のアーカイブの歴史を見ると、戦争の傷跡を感じることができる。

欧州の映画アーカイブでは、法定納入制度が確立していたり（フランス、イタリア）、補助金と引き換えに納入を義務付けていたり（オランダ）などによって最近の映画も収集している。日本でも、映画は国立国会図書館の納本制度の対象にはなっているが、「当面の納本は猶予する」となっており、収集されていない。国立映画アーカイブが独自に収集しているものの、納本義務はないので網羅性に欠けている。この点について見直しが必要と思われる。

筆者は二〇一七年から二〇一九年にかけて欧州各国の映画アーカイブ機関を訪問調査した[28]一覧表を表3―2に示した。また訪問先の写真も紹介する（図3―20）。

cinémathèqueはフランス語で、上映施設を備えた映画アーカイブのことである。ドイツ語では

表3-2　欧州の主要映画アーカイブ

国	機関名	設立(年)	映画振興・助成	アーカイブ設立(年)	所蔵フィルム数(本)	デジタル化数(本)	常設上映設備	スクリーン数	法定納入制定年
英国	British Film Institute (BFI)	1933	○	1935	150,000	10,000?	BFI Southbank BFI IMAX	4 1	
フランス	CNC	1946	○	1969	100,000		×		1992
	Cinémathèque française	1936		1936	40,000		○	4	
ドイツ	Bundesarchiv				120,000		×		
	Deutsches Filminstitut & Filmmuseum	1949			26,000		○	1	
	Deutsche Kinemathek	1963		1963	26,000		×		
イタリア	Cineteca Nazionale	1949			120,000		×		1949
	Cineteca di Bologna	1963			40,000		Cineteca di Bologna	2	
オランダ	EYE Filmmuseum		○		210,000	33,000	EYE Filmmuseum	4	
オーストリア	Filmarchiv Austria	1955	×		200,000	100,000	Metro-Kinokulturhaus	2	

Kinemathek、イタリア語ではCinetecaと呼ばれる。

アメリカでは文化政策を行う省庁がないため、政府から独立した大統領直轄の全米技術基金（NEA）が文化助成を行っている。アメリカ議会図書館は一九八九年に国家映画登録制度[29]（National Film Registry）を発足させ、映画フィルムの収集を本格化させ、現在二〇〇万点以上を収集している。また、ニューヨーク美術館、ジョージ・イーストマン・ハウス国際写真映画博物館、カリフォルニア大学ロ

BFI SOUTHBANK
Cinemas
BFI Mediatheque
BFI Reuben Library
BFI Shop
BFI bar & kitchen

CNC 50

図3-20　欧州映画アーカイブ（筆者撮影）

サンゼルス校映画・テレビアーカイブ、NPO法人アンソロジー・フィルムアーカイブズなどの企業や大学、NPOなどのアーカイブが自己資金のみならず公的機関や財団から補助金、寄付金、税控除等により運営されている。

3—4　コロナと演劇アーカイブ

（1）舞台芸術のアーカイブ

年配の方でないとご存じないかもしれないが、文学座の杉村春子の舞台「女の一生」は、新劇の歴史に残る演技といわれる。しかし実際にその演技を見た人は今となっては少ないだろう。音楽の演奏、舞踊、演劇など、いわゆるパフォーミング・アーツと呼ばれる芸術はこれまでアーカイブになじまなかった。最近では、大劇場で行われる古典芸能や演劇、演奏会などの公演がテレビで中継され、あるいは録画して放送されるので、放送局においてアーカイブされていることがある。しかし、演劇や舞踊のひとびとの中には、そもそも公演というのはその場限りのライブであり、アーカイブされるべきでない、と公言するひともいるくらいである。とはいえ、先人がどのように上演していたかを見ることは、芸術に従事する当事者にとって貴重な糧となるはずだ。それが何とコロナ禍を契機に実現した。写真はJapan Digital Theatre Archives（ＪＤＴＡ）に収録された「女の一生」の映像である（図3―21）。そのほかにも一〇〇〇本以上の舞台映像がデジタル化された。

図3-21　JDTAの「女の一生」作品概要画面

（２）ＥＰＡＤ公演映像のデジタル化

これが実現した経緯は次のようである。二〇二〇年春に新型コロナウィルスの感染が広がり、緊急事態宣言の下、劇場やホールが閉鎖され、音楽の演奏、演劇の上演が一斉に中止となった。この危機的状況に対処するため、文化庁は、野田秀樹氏などの提言により、令和2年度戦略的芸術文化創造推進事業「文化芸術収益力強化事業」を立ち上げ、舞台芸術創作者への支援を開始したが、その一環として、「緊急舞台芸術アーカイブ+デジタルシアター化支援事業（ＥＰＡＤ）」により、過去の舞台芸術の映像のデジタルアーカイブ化と映像配信事業の支援をすることとなった[30]。

ＥＰＡＤは緊急事態舞台芸術ネットワークと寺田倉庫が二〇二〇年一〇月に立ち上げたが、二〇二一年三月までの短期間に一二八三本の公演映像を収集しアーカイブ化し、これらの権利処理

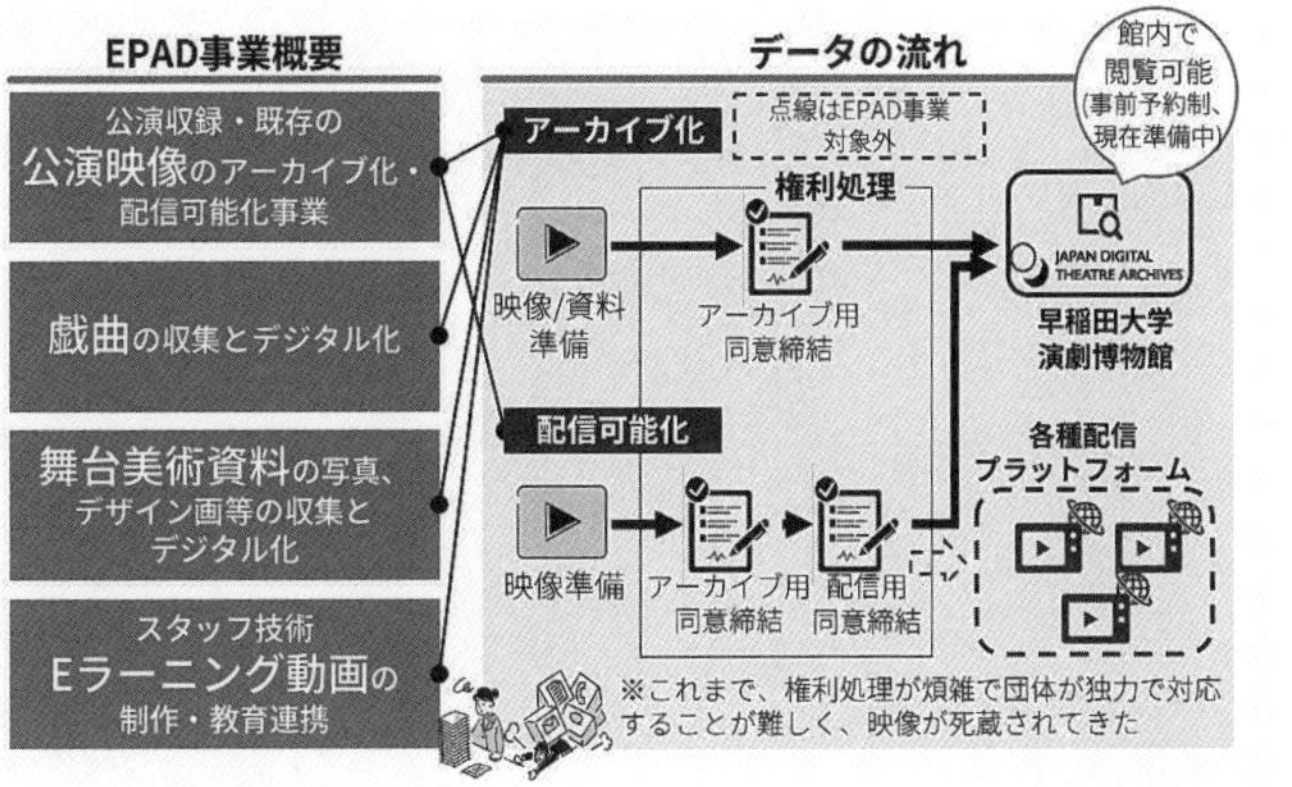

図3-22　EPAD事業概要

を進めた（図3―22）。前述の一九六一年杉村春子主演の「女の一生」（文学座）もこの中で権利処理が行われた。このシステムの企画・制作・運用・管理は早稲田大学演劇博物館が担当した。収集した作品映像はJDTA[31]から検索でき、早稲田大学演劇博物館の館内で事前予約制で視聴できる。

権利処理の結果、収集した一二八三本のうち、二八一本の公演映像がいくつかの配信プラットフォームから有料ネット配信することができるようになった。その収益は映像を提供した団体等に還元している。

図3-23　「戯曲デジタルアーカイブ」の検索結果画面（井上ひさしの「組曲虐殺」）

（3）EPADによる「戯曲デジタルアーカイブ」

一般社団法人日本劇作家協会はこのEPADプロジェクトに参画し、戯曲の収集を行って公開した(32)。このアーカイブの特徴は、各戯曲のテキストをPDFで公開していることである（図3―23）。それを読んだ関係者が上演許諾を問い合わせる仕組みになっている。

戯曲デジタルアーカイブ委員会の丸尾聡氏によれば、収集を開始した動機について

「戯曲は一般の方々にはなじみが少ないです。出版されても売れるようなものではありません。古い戯曲は作家の方が亡くなってしまうと、埋もれ、消えていってしまうこともあります。そこで、散逸しがちな戯曲を未来に残す図書館のようなものを作りたいという想いがありました。」

と述べている(33)。

（4）テレビ番組と脚本

近年のテレビドラマはＮＨＫ他各局でデジタルデータとして保存されており、需要のある連続ものは有料放送で配信されたり、有料のネット配信が行われている。しかし、単発のドラマなどのアーカイブの視聴は簡単でない。テレビ番組のデジタルアーカイブについては宮本聖二氏がまとめたものが参考になる。(34) 有料ネット配信の先駆けであるＮＨＫオンデマンドは二〇一九年現在で六〇〇〇本の番組を配信しているとしているが、(35) 全番組数八一万件から見れば、極めてわずかである（〇・七％）。

一九五三年にＮＨＫのテレビ放送が開始されたが、当時のテレビドラマは生放送であった。ようやくビデオが使えるようになっても、高価であったビデオテープは、使いまわしのために上書きされるのが普通であり、一九八〇年以前の放送番組はほとんど保存されていないことはすでに述べた。

こうした初期のドラマの姿を知ることができるのは、ドラマの脚本・台本である。二〇一四年四月一七日より、国立国会図書館でテレビ・ラジオ番組の脚本・台本が閲覧公開された。これは、脚本家山田太一氏が中心となって結成した「一般社団法人日本脚本アーカイブズ推進コンソーシアム」(36) が収集した脚本・台本の一部で、残りは川崎市民ミュージアムに寄贈された。

早稲田大学文化資源データベース
ホーム
検索
年表
杉村春子旧蔵台本データベース
検索
検索
千客万来. 第58回
請求記号 ロ05 6670
ソート番号 00000197
タイトル 千客万来. 第58回
タイトル_カナ センキャクバンライ. 058
タイトル_英・ローマ字 senkyakubanrai. 058
巻書名 「女の一生」を演じながら オンナ ノ イッショウ オエンジナガラ on'na no issho o enjinagara
筆者
出版事項 [福岡] : RKB毎日、[19--]
出版事項_ローマ字 fukuoka : arukeibimainichi
出版事項_カナ フクオカ : アールケイビーマイニチ
版次
形態 18p ; 25cm
ISBN
シリーズ名
注記 ゲスト:杉村春子 VTR:5月8日(水)午後2時45分~3時 放送日:5月11日(土)午後5時35分~5時50分 RKB毎日テレビジョン放送台本 提供:日本勧業証券 謄写版

図3-24　杉村春子旧蔵台本データベース」の検索結果。画像は演劇博物館館内で閲覧できる

ただし川崎市民ミュージアムの台風一九号による被災（二〇一九年）により、閲覧は一時中止されている。国立国会図書館の蔵書のうち、一部はデジタル化され、約三〇〇〇点は図書館送信で閲覧可能となっている。

この活動の発端は、二〇〇三年に、当時日本放送作家協会の理事長であった市川森一氏が、衆議院総務委員会の参考人として脚本・台本の収集・保存を訴えたことに始まるという。

早稲田大学にある、坪内博士記念演劇博物館(37)は、歌舞伎など伝統演劇から新劇まで、各種演劇に関するさまざまな資料、たとえば、写真、浮世絵、ポスター、ビラ、などを集めているが、その中に浄瑠璃本や演劇の脚本も含まれる。故杉村春子が寄贈した台本には、杉村自身のさまざまな書き込みがあったり、写真が挟んであったりして、杉村の俳優人生の貴重な記録となっている（図3―24）。

これら脚本・台本のデジタル化はあまり進んでいないが、ひとつの障害は、個人が所有していた脚本・台本には書き込みなどがあり、著作権・プライバシーの問題があることである。デジタル化されている杉村春子の脚本も、ネットでは公開されていないが、同博物館にいけばデジタル画像を閲覧できる。

図3-25　歴史的音源のトップ画面

（5）音楽・音声のアーカイブ

二〇〇七年四月二七日に、日本放送協会（NHK）、社団法人日本音楽著作権協会（JASRAC）、財団法人日本伝統文化振興財団、特定非営利活動法人映像産業振興機構（VIPO）、社団法人日本レコード協会（RIAJ）、社団法人日本芸能実演家団体協議会（芸団協）の六団体が「歴史的音盤アーカイブ推進協議会（HiRAC）」を設立し、放送局やレコード会社が保管しているSPレコードや原盤、その他の音源をデジタル化して保存することなった。二〇一二年には、デジタル化した音源が五万点に達し、そのうち、提供準備ができたもの（民謡、落語、浪花節、流行歌、クラシック音楽、演説、唱歌等約三万九〇〇〇点）を「歴史的音源」（図3―25）として国立国会図書館で利用可能とした。(38)

ただし、ウェブで聞ける音源は一部で、多くの音源は著作権処理ができず、国立国会図書館の館内と、提携している公立図書館・大学図書館でのみ聞くことができる。

3—5　マンガとゲーム

（1）マンガ

「マンガ図書館Z（旧名絶版マンガ図書館）(39)」とは、二〇二二年参議院選挙全国比例区で全国トップの五二万八〇二九票を得て当選した漫画家の赤松健氏が二〇一一年に立ち上げたマンガのアーカイブである（図3―26）。その仕組みは、読者が持っている絶版マンガをスキャンし、著者の許諾を得たのち広告を挿入してネット公開するものである。公開されるPDFには著作権保護の仕組みはなく、自由にコピーできる。紙で復刻版が発行される場合は、公開を停止することになっている。広告クリックによる収入は著者に還元される。読者のボランティアによる電子化事業として大変画期的なものである。

また、著者が自分の漫画を掲載したいと希望する場合は、そのタイトルを連絡するだけで、

図3-26　マンガ図書館Zのトップ画面

「絶版マンガ図書館」でスキャンして掲載する。ある漫画作家は、売れ行きが止まったので、出版社にお願いしてわざわざ絶版にしてもらい、ここで公開したところ、一晩で一〇〇〇アクセスを超えたとツイートしている。成人向け漫画も含め、二〇二二年七月現在六七〇〇タイトルが掲載されている。なお赤松氏はデジタルアーカイブ学会法制度部会所属の会員でもある。

漫画も書籍の一種なので、国立国会図書館に納本されていれば、ここで電子化される可能性がある。戦前の雑誌に掲載された漫画は雑誌が電子化されているので、国立国会図書館、またはその配信を受けている図書館で閲覧できる可能性がある。ただし、現時点ではデジタル化されたマンガのネット配信は行われていない。

米国では、新聞に掲載される連載漫画、あるいは政治漫画のような一コママンガは、商業サイトGoComics[40]などで、過去のものまで無料で見ることができる。日本でもスヌーピーでよく知られている『ピーナッツ』なども自由に閲覧できる。もちろん紙の本や電子書籍として購入もできる。収益は、キャラクター商品の販売やライセンスで得ているようである。振り返って日本は、新聞漫画については電子書籍すら一部の漫画しか発行されていない状況で、みすみすビジネスチャンスを見逃しているのではないかと心配になる。

（2）ゲーム

ここで指しているゲームはアーケード・ゲーム（街のゲーム喫茶などに置かれたゲーム機）、家庭用ゲーム機、PCゲーム、オンライン・ゲームなどである。アーケード・ゲームやゲーム機は本体の機械のROMやカセットなどにゲームソフトが記録されており、それを保存することは可能であるが、それが実際に動く状態で保存する（動態保存）は容易でない。オンライン・ゲームの場合はそもそもソフトウェアにアクセスすることができず、サービスが終了したゲームはそのまま失われてしまう。このようにゲームのアーカイブにはさまざまな困難がある。

インターネット・アーカイブのソフトウェア・コレクション[41]は主として過去のアーケードゲームやPCゲームを収集しており、一三万本以上のゲームがエミュレーション・ソフトウェアのおかげでウェブ上で動作する（図3—27）。

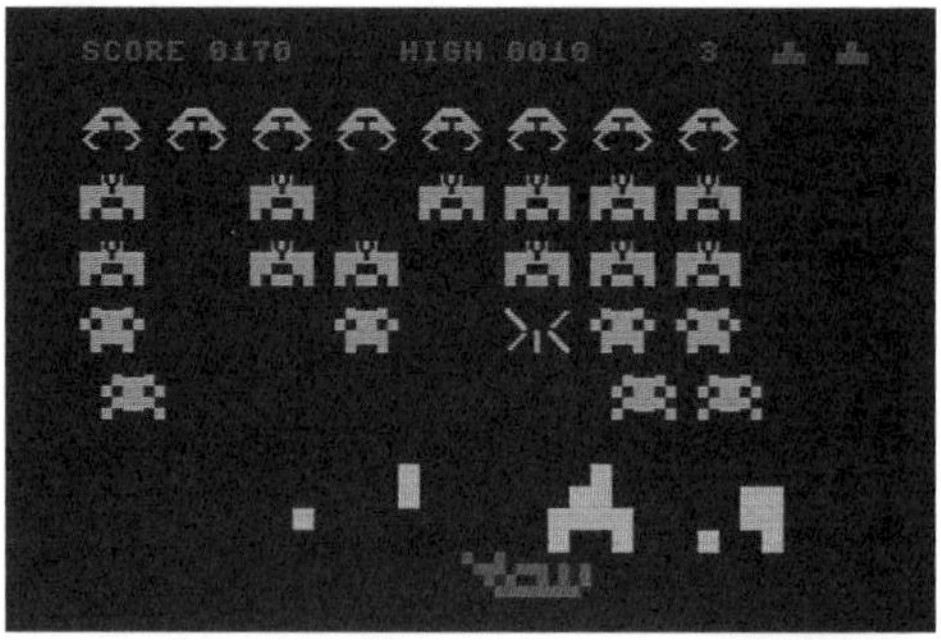

図3-27　インターネット・アーカイブのゲームアーカイブ(スペース・インベーダー)

前述の参議院議員赤松健氏は当選後のツイッターで、「プレイ可能な状態での、過去のゲームの合法的保存」の検討に乗り出すと表明している(42)。これはインターネット・アーカイブのゲームアーカイブと同等のことを実現するものと思われるが、技術もさることながら、日本ではそのための法整備が必要なことを指摘している。

なお立命館大学ゲーム研究センターの「ゲームアーカイブプロジェクト」ではゲームのデータベースを作成している(43)。

3—6　ウェブアーカイブ

(1) ブログは消せない

故安倍晋三元首相主催の「桜を見る会」が問題になったのは二〇一九年である。内閣総理大臣が「各界において功績、功労のあった方々を招き日頃の労苦を慰労するため」開催しているわけなので、公的なイベントであったはずだが、実際には山口県の安倍晋三後援会関係者が多数招待されており、「衆議院議員」安倍氏が私物化しているのではないかと追及された。この問題が取り上げられたとたん、山口県の議員などのブログから、問題の箇所が一斉に消されたと報じられている。たとえば山口県議会の友田たもつ議員は二〇一四年の「桜を見る会」に貸切バスで参加したとの詳しい報告をしていたが、現在、二〇一七年以前の氏のブログは削除されて見ることができない。

2014年5月1日号　vol.87

安倍首相主催「桜を見る会」へ。」

5月に入り色鮮やかな新緑が眩しく感じられるようになりました。
皆様方におかれましては、益々ご健勝の事とお慶び申し上げます。

県議会も３月末に無事終わりました。県庁では３月の予算は骨格予算ということで、６月の議会に

図3-28　山口県議会の友田たもつ議員のブログにあった故安倍元首相主催の「桜を見る会」参加報告(2014-05-01, Wayback Machine)(http://web.archive.org/web/20191109183526/http://tomoda-t.com/2009hp-tsusin-201403-201712.html)

実はこうした過去の記事も米国のインターネット・アーカイブが運営しているウェイバック・マシーン[44]ではすべて見ることができる。たとえば友田氏のブログのURLで検索すると、二〇一四年五月一日の問題記事が見つかる（図3—28）。

政治家や政府、あるいは企業の発言や発表、また官僚が作成した公文書は歴史の検証にさらされるべきで、安易に抹消する、廃棄するということは、大変恥ずべきことである。しかし幸い、ウェブの記事に関してはこうして記録が残っており、調査が可能である。惜しむらくはこれが米国のアーカイブであり、日本のものではないことである。

（2）ウェイバック・マシーンとは

ここに、二〇一一年三月一一日の東日本大震災の巨大津波で町がほぼ壊滅した南三陸町の、二〇一一年三月二二日のウェブページがある（図3—29）。このウェブページは震災直前のものである。たぶんサーバーが町内に置いてなかったため、津波から生き残ったが、更新することもできなかったのだろう。これを見ると、「災害への日ごろの備え」などの情報が載っているが、残念ながら今回のような巨大津波に対しては無力であったことになる。

誰でも知っているように、ウェブページはどんどん書き換えられ、古い情報はしばしば消されて、無くなってしまう。あるいは会社が倒産すると、サーバーごとその会社のすべてのページが消えてしまう。そのことにいち早く気づき、保存を始めたのがアメリカのコンピュータ・エンジニアで起業家のブリュースター・ケール

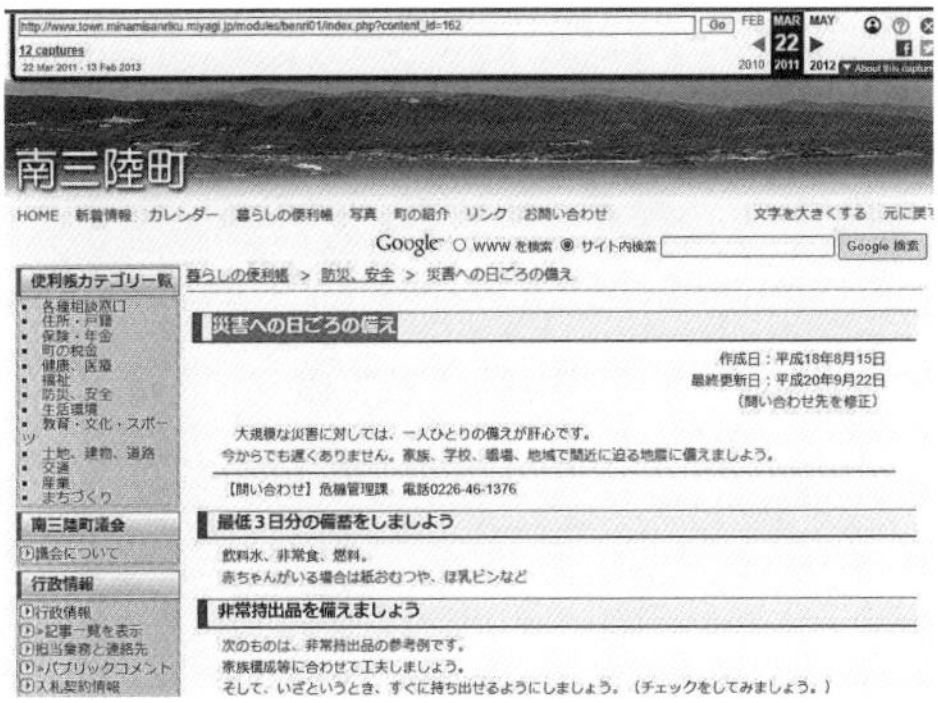

図3-29　2011年3月22日（震災後11日目）に取得された南三陸町のウェブページ。震災前のページがそのまま残っている（Waybak Machine）（https://web.archive.org/web/20110322185047/http://www.town.minamisanriku.miyagi.jp/）

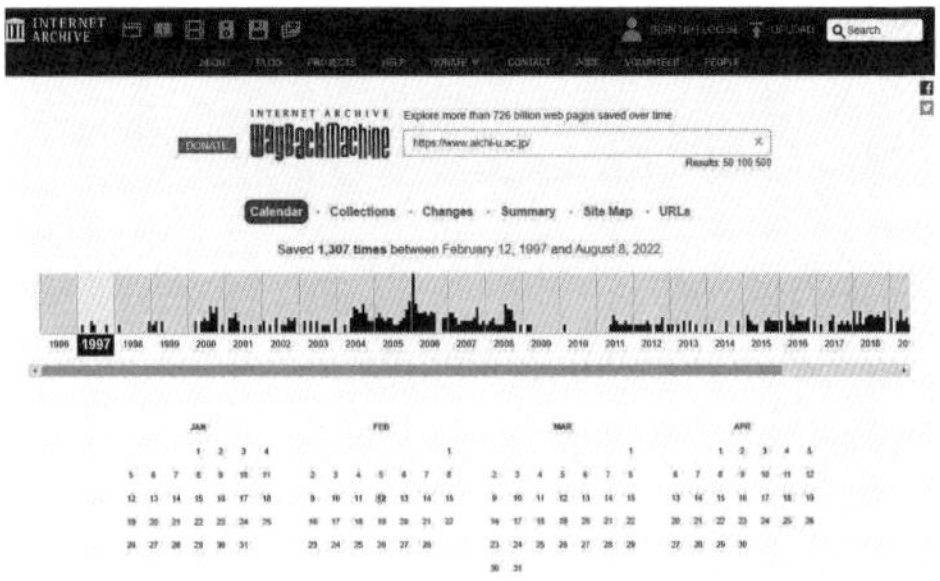

図3-30　愛知大学のウェブページをウェイバック・マシーンで検索したところ

図3-31　ウェイバック・マシーンに保存された1997年の愛知大学のウェブページ

氏である。前述したように、彼が起こしたインターネット・アーカイブという非営利団体の、ウェイバック・マシーンというデータベースには、一九六六年から今日までの世界中のあらゆるウェブページが継続的に記録されている。

前述の南三陸町のウェブページは、志津川町と歌津町が合併して南三陸町となった平成一七年（二〇〇五年）から保存されている。

筆者が以前勤務していた愛知大学は、いつウェブページを開設したかは正確にはわからないが、少なくとも一九九七年二月一二日のウェブページはウェイバック・マシーンに保存されている（図3—30、図3—31）。

まだインターネットの揺籃期であり、素朴を絵に描いたようなページである。こうした会社や学校のページだけが保存されているのではない。たとえば、筆者の昔のウェブページも一九九八年一一月一日からちゃんと保存されている（図3―32）。

なおウェブページを探す際、URLが正確にわかっていればそれが一番良い。問題は長い間にURLが変わっている場合で、その場合は昔のURLを正確に調べないと検索は難しい。URLがわからないときは、タイトルの語でも検索できる。ただしノイズも多い。

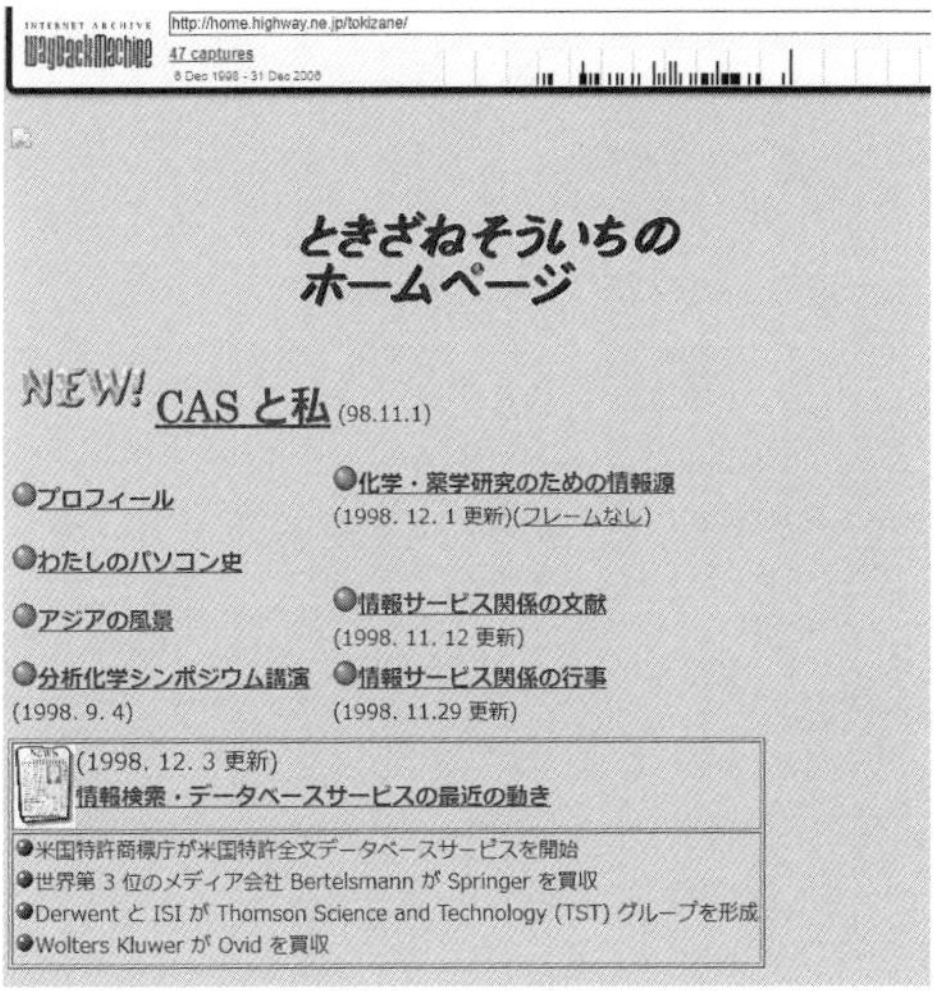

図3-32　ウェイバック・マシーンに保存された筆者のウェブページ

アップルがコンシューマ市場に進出するきっかけとなったiPodが発表されたのは二〇〇一年一〇月二三日であった。その日のアップル社のウェブページがウェイバック・マシーンに保存されている、画面上回転する初代iPodの図とともにSay hello to iPod. 1,000 songs in your pocket. と誇らしげに書いている（図3―33）。

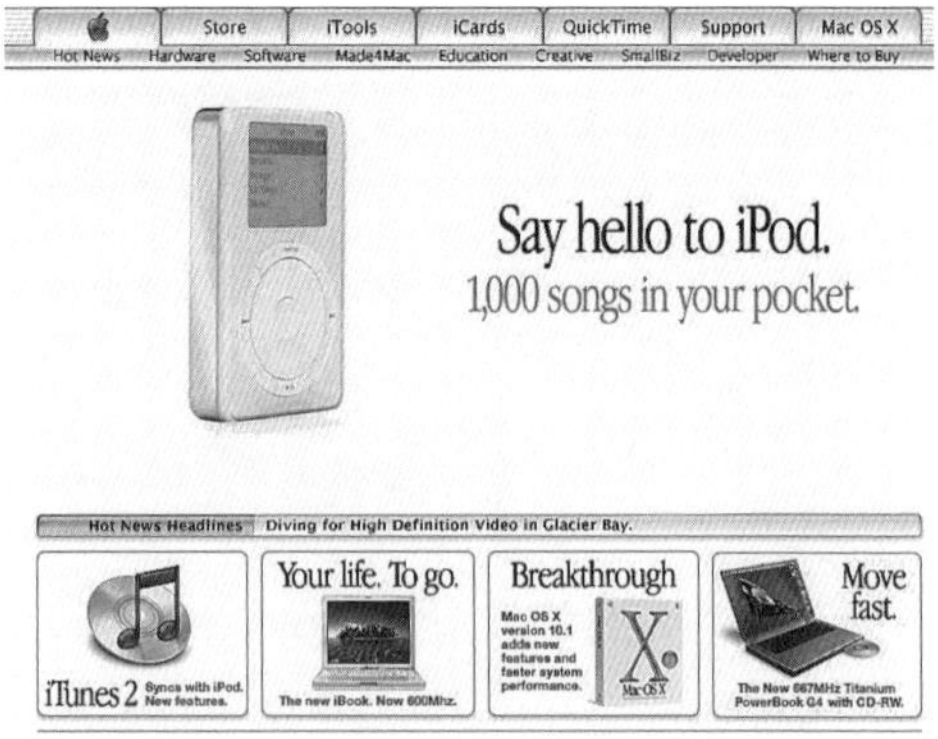

図3-33　初代iPodが発売されたときのアップル社のウェブページ（Wayback Machine）

大きな会社でも、自分の過去のウェブページをきちんと保存しているところは少ない。いざ調べ物をしよう、社史を書こうというときは、このウェイバック・マシーンを頼りにすることが多いそうである。ウェイバック・マシーンは世界最大の、ウェブページを保存するアーカイブである

（3）インターネット・アーカイブとブリュースター・ケール

デジタルアーカイブの世界で「インターネット・アーカイブ」[45]という名前はしばしば聞く。インターネット・アーカイブで一番よく知られているのは前述のウェイバック・マシーンであるが、ここではそのほか書籍やテキスト（三五〇〇万点）、動画（八四〇〇万点）、音楽・音声（一四五〇万点）、ゲームなどのソフトウェア（八八万点）などさまざまなコンテンツをデジタル化し公開している。

インターネット・アーカイブの創始者ブリュースター・ケール氏はもともと

知識データベースの開発者であったが、それをアマゾンに売却した得た資金を元に一九九六年にインターネット・アーカイブを設立、最初に始めた事業がウェブページの収集であった[46]（図3—34）。これがウェイバック・マシーンとして公開されたのは五年後二〇〇一年であった。

故長尾真氏が国立国会図書館の館長であったとき、筆者はブリュースター・ケール氏を日本に招聘したいと思い、長尾館長に立ち話で持ち掛けたところ、「やりましょう」と二つ返事で二〇一一年春に実現することになった[47]。三・一一東日本大震災の発生で日時は延期されたが、二〇一一年五月二四日に国立国会図書館の新館講堂講演会が開催された。その席で、ケール氏から長尾館長にインターネット・アーカイブが収集した東日本大震災に関連するツイッターなどの入った磁気ディスクが贈呈された（図3—35）。

筆者はこの時の鼎談に参加している（図3—36）。

図3-34　ブリュースター・ケール氏と筆者。インターネット・アーカイブの最初の本部（サンフランシスコ市プレシディオ）の前で（2009年5月）

図3-35　ブリュースター・ケール氏が長尾館長に東日本大震災関連ツイッターの入った磁気ディスクを贈呈（2011年5月24日）

図3-36　右から長尾館長、ブリュースター・ケール氏、筆者による鼎談（2011年5月24日）

（4）国会図書館のウェブ保存

実は、このようにウェブサイトを保存しようという試みは各国にあって、日本では国立国会図書館が「インターネット資料収集保存事業（WARP）」[48]という名前で行っている。二〇〇〇年に始まったこのプロジェクトでは、まず政府や公的機関のウェブページの収集を行った。当初は著作権法の制約があり、いちいち許諾が必要であった。その中で、いわゆる「平成の大合併」によって消滅する市町村のウェブページは、そのままでは永遠に失われてしまうので、これを重点的に収集した。

愛知県の渥美半島の突先にある伊良湖岬は、島崎藤村の「やしの実」に歌われたやしの実が流れ着いたといわれる。この伊良湖岬がある渥美町は平成一七年（二〇〇五年）一〇月一日に隣の田原市に吸収合併された。その年のウェブページが三件国立国会図書館に収集・公開されている（図3―37）。

図3-37　国会図書館「インターネット資料収集保存事業（WARP）」の保存データ例

なお、インターネット・アーカイブで、同じ渥美町のページ（http://www.town.atsumi.aichi.jp/）を検索して見ると、六七件ものページが保存されており、一番古くは二〇〇〇年一〇月一八日のものからある。

二〇〇九年に著作権法が改正され、国の機関や地方公共団体、国公立大学、特殊法人等のウェブページは国立国会図書館が事前に断らな

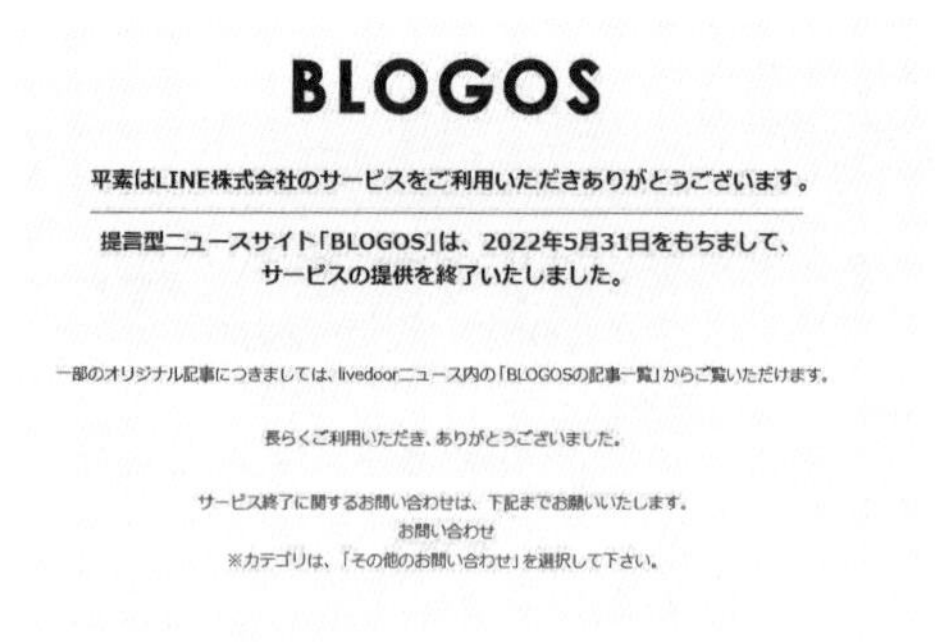

図3-38　LINE株式会社のブログサービスBLOGOS閉鎖の案内

くても自由に収集できることとなった。また民間のウェブサイトについては収集と公開の許諾を得て収集している。

（5）ブログやネット・サイトの救出

インターネット上のサービスは簡単に閉鎖される。二〇二二年五月三一日、ＬＩＮＥ株式会社のブログサービスBLOGOSがひっそりと閉鎖された（図3—38）。

このようなことは頻繁に起きている。二〇二二年八月四日、京都大学はそのオープンコースウェア（ＯＣＷ）の閉鎖を発表した[49]。ＯＣＷとは大学や大学院などの高等教育機関で正規に提供された講義とその関連情報を、インターネットを通じて無償で公開する活動のことで、米国のＭＩＴなど著名大学の講義は世界的に人気がある。日本でも旧帝大など十数校がコンソーシアムに加盟しているが、その主要校が閉鎖するとの発表で衝撃が広がった。閉鎖されれば、公開されていた動画などは失われ、二度と見ることができない。一部の有志は、自主的に動画をダウンロードして保存するなどの活動を開始したが、これに対してYouTubeは利用規約に反するとして、中止を依頼している。

米国ではArchive Teamというボランティア団体が、閉鎖されるウェブサイトのデータを収集する活動をしている。[50] こうして救出されたサイトのデータの一部はインターネット・アーカイブで公開されている。たとえば、二〇二〇年九月三〇日に閉鎖された「NAVERまとめ」のデータも公開されている（生データなのでそのままでは読めない）。サイトを閉鎖する会社も、このような保存活動に協力的なところもあると聞いている。

また、ウクライナの戦争勃発にともない、世界のボランティアが「Saving Ukrainian Cultural Heritage Online（SUCHO）」という活動を開始した。[51]

図3-39　Saving Ukrainian Cultural Heritage Online（SUCHO）が救出したウクライナ博物館のコンテンツ

これにはインターネット・アーカイブを始め、世界のウェブ収集機関が協力し、ウクライナの図書館・博物館・美術館などが公開しているウェブ情報を爆撃や砲撃による消滅から防ごうとしている。その一部はすでに公開されている（図3―39）。

インターネット・アーカイブでは3／11の震災が発生したとき、直ちにバージニア工科大学の

Archive-ITというアーカイブ・プロジェクトと協力し、関連するウェブページ、ツイッター、ブログなどの収集を開始した。収集サイトについては日本の国立国会図書館、米国議会図書館、ハーバード大学エドウィン・O・ライシャワー研究所がリストを提供した。このデータは同研究所の「2011年東日本大震災デジタルアーカイブ（現在「日本災害DIGITALアーカイブ」）」から提供されている。

このようなウェブ文化の保存は、厳密には著作権法に抵触する可能性がある。しかし、失われたデータは二度と回復できないことを考えると、こうした危機対応のデータ保存に道を開くことが望まれる。

（6）Webページ変遷の分析

インターネット・アーカイブのウェイバック・マシーンを利用して、各企業・組織のウェブページのURLを指定すると、図3−30と同様に一覧が表示される。各年代ごとに収録されているページを一つひとつ閲覧しその変化等を見ることができ、興味深い。たとえば本田技研工業株式会社のウェブページの変遷は図3−40のようである。[52]

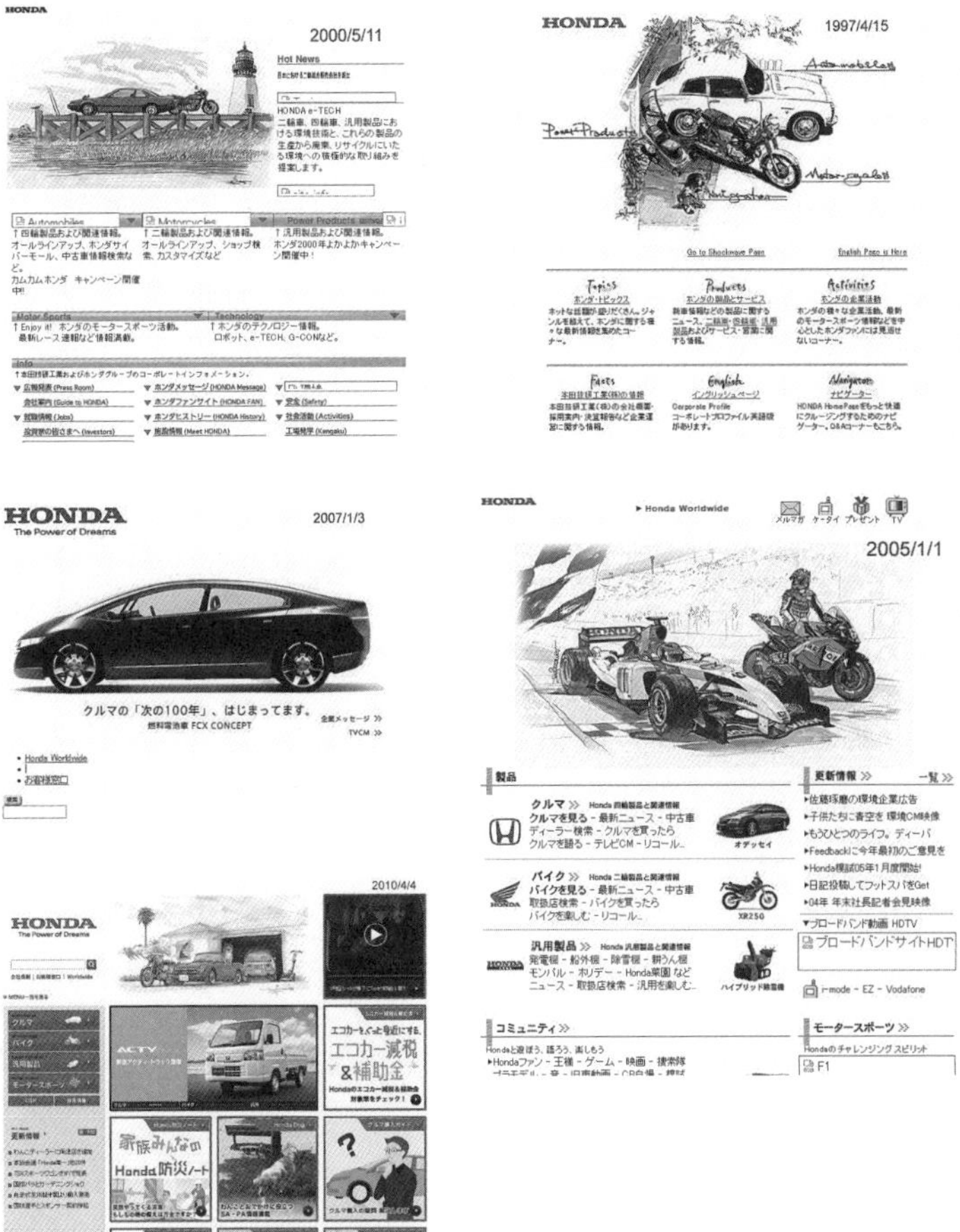

図3-40　本田技研工業株式会社のウェブページ変遷

これから

(a) 製品が「四輪」、「二輪」、「汎用製品」の三種類にわかれており、これはほぼ調査全期間にわたって変わらない。

(b)「お客様窓口」が二〇〇五年から設けられている。また「コミュニティ」が二〇〇二年から設けられており、だんだんと顧客へのサービスを意識してきていると思われる。

(c) 二〇〇九年に「リコール修理」の窓口が設けられたのは特筆される。これは米国において、ホンダ インスパイア／セイバーのエアバッグ破損による死亡事故が発生したこと（朝日新聞，二〇〇九―〇七―三〇，朝刊）を受けたものと思われるが、リコールに至らない「改善対策」も記載されている。

(d) 会社情報については二〇〇五年に「会社案内」、「投資家情報」、「グループ」、「テクノロジー」というスタイルができてから、今日まで変わっていない。

(e) メセナなど企業活動についてもウェブページでは詳しく記載されている。

というような知見が得られる。

(7) ウィキペディアのリンク切れ

調べ物に広く使われているウィキペディアでは本文の記述に対する出典が示されており、利用者には大変役に立つ。しかし多くがウェブの情報のため、リンク切れがしばしば発生する。しかし、サイトが閉鎖されたり、ページが削除されたりしてリンクが切れていても、ウェイバック・

図3-41 ウィキペディア英語版のEaster Islandの記事

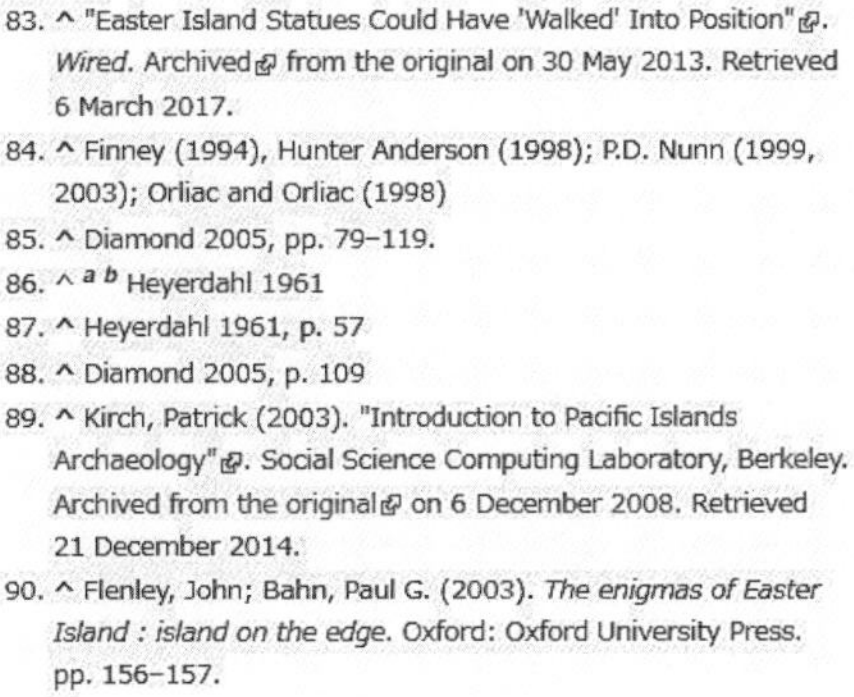

83. ^ "Easter Island Statues Could Have 'Walked' Into Position". Wired. Archived from the original on 30 May 2013. Retrieved 6 March 2017.
84. ^ Finney (1994), Hunter Anderson (1998); P.D. Nunn (1999, 2003); Orliac and Orliac (1998)
85. ^ Diamond 2005, pp. 79–119.
86. ^ a b Heyerdahl 1961
87. ^ Heyerdahl 1961, p. 57
88. ^ Diamond 2005, p. 109
89. ^ Kirch, Patrick (2003). "Introduction to Pacific Islands Archaeology". Social Science Computing Laboratory, Berkeley. Archived from the original on 6 December 2008. Retrieved 21 December 2014.
90. ^ Flenley, John; Bahn, Paul G. (2003). *The enigmas of Easter Island : island on the edge*. Oxford: Oxford University Press. pp. 156–157.

図3-42 Wikipedia英語版のEaster Islandの記事の参照文献

図3-43 前記出典(89番目)をクリックすると、ウェイバック・マシーンに保存されたページが開く(https://web.archive.org/web/20081206100604/http://sscl.berkeley.edu/~oal/background/pacislands.htm)

マシーンに拾われていれば元のページを読むことができる。

たとえば英語の「イースター島」（Easter Island）のページ（図3―41）には多数の出典の記載があるが、出典89には「Achived from the original on 6 December 2008. Retrieved 21 December 2014.」と記載されており（図3―42）、タイトルをクリックするとウェイバック・マシーンに保存された元のページに誘導される（図3―43）。

この機能は極めて便利なのだが、今のところウィキペディアの英語版でしか実現していない。しかし、日本語版の出典でリンク切れが発生したら、そのURLを使ってウェイバック・マシーンで検索すれば、見つかる可能性は十分ある。

インターネット・アーカイブでは、これに加えて、参照された書籍についても、インターネット・アーカイブが電子化した書籍にリンクするサービスも行っている。

参考書籍

石原香絵『日本におけるフィルムアーカイブ活動史』美学出版，二〇一八―〇三―三一，三八三．
辻泰明『映像アーカイブ論』大学教育出版，二〇二〇―一〇―一〇，一五三．
原田健一・水島久光他『手と足と眼と耳――地域と映像アーカイブをめぐる実践と研究』学文社，二〇一八―〇三―二三，三二八．

エマニュエル・オーグ、西兼志訳『世界最大デジタル映像アーカイブ　ＩＮＡ』白水社（文庫クセジュ）、二〇〇七―一二―〇一、一五四．

注

（1）東由美子・時実象一・平野桃子・柳与志夫「我が国における地方紙のデジタル化状況に関する調査報告」『デジタルアーカイブ学会誌』二〇一九、三（一）、三五―四〇．

（2）Europeana. Newspapers. https://www.europeana.eu/en/collections/topic/18-newspapers（参照 二〇二一―〇八―一一）．

（3）時実象一「欧州における新聞デジタル・アーカイブ Europeana Newspapers」『情報の科学と技術』二〇一七、六七（一）、三四―三七．

（4）Chronicling America. https://chroniclingamerica.loc.gov/（参照二〇二一―〇八―一一）．

（5）時実象一「米国・オーストラリアにおける新聞記事デジタル・アーカイブ　全米新聞デジタル化プログラム（National Digital Newspaper Program: NDNP）と Australian Newspapers Online－Trove」『情報の科学と技術』二〇一七、六七（四）、二〇六―二一〇．

（6）新井宏和「ＮＨＫアーカイブスの取り組み」『情報の科学と技術』二〇一九、六九（二）、八四―八八．

（7）ＮＨＫアーカイブス．https://www.nhk.or.jp/archives/（参照二〇二一―〇八―一一）．

（8）大井康祐「ＮＨＫアーカイブスの現状と未来展望――放送・通信の融合とディジタル・アーキビスト」『学習情報研究』二〇〇六、（七）、四五―四八．

（9）大髙崇「アウトオブコマースの放送アーカイブ活用に向けて――教育目的利用のための権利制限規定創設の私案」『デジタルアーカイブ学会誌』二〇二二、六（ｓ二）、ｓ八〇―ｓ九〇．

(10) 時実象一「フランスのデジタルアーカイブ機関――ＢｎＦとＩＮＡ（調査報告）」『デジタルアーカイブ学会誌』二〇一八，二（三），二八七―二九三．

(11) 長井暁「デジタル映像アーカイブは何をもたらすのか――フランスＩＮＡの挑戦」『放送研究と調査』二〇〇八，五八（七），四八―五九．

(12) ロドリグ・マイヤール「世界最大規模の放送番組デジタル・アーカイブ――フランスＩＮＡとINAthequeの実績」『放送研究と調査』二〇〇六，五六（一〇），六四―七六．

(13) Internet Archive TV News. https://archive.org/details/tv（参照二〇二二―〇八―一一）．

(14) 「胃カメラを知っていますか――世界で初めて胃カメラを開発した杉浦睦夫のページ」http://ikamera.jp/（参照二〇二二―〇七―二八）．

(15) 大関勝久「映画産業における写真フィルム技術と映画の保存――デジタル化の時代を迎えて」『日本画像学会誌』二〇一二，五一（六），六五〇―六六〇．

(16) 国立映画アーカイブ https://www.nfaj.go.jp/（参照二〇二二―〇九―一二）．

(17) 科学映像館 http://www.kagakueizo.org/（参照二〇二二―〇七―二八）．

(18) 久米川正好「映像遺産の保存と活用――科学映像館活動10年のあゆみ」『デジタルアーカイブ学会誌』二〇一七，一（Pre），二一―二四．

(19) 記録映画保存センター https://kirokueiga-hozon.jp/（参照二〇二二―〇七―二八）．

(20) 記録映画アーカイブプロジェクト http://www.kirokueiga-archive.com/（参照 二〇二二―〇七―二八）．

(21) 丹羽美之「記録映画の保存と活用――記録映画アーカイブ・プロジェクトの10年」『デジタルアーカイブ学会誌』二〇一九，三（四），三七五―三八．

(22) hmd-japan. Latest News from Home Movie Day JAPAN 最新ニュース．https://homemovieday.jp/

（参照 二〇二三—〇一—二八）．

（23）常石史子「フィルムアーカイブにおける映画の復元と保存」『デジタルアーカイブ学会誌』二〇一九，三（四），三九四—三九八．

（24）ALPS Pictures．地域映画 https://alps-pictures.jp/works-cat/regional/（参照 二〇二二—〇六—二二）．

（25）「松本の日常伝える「地域映画」制作へ　市内で撮影した8ミリフィルム募集」『松本経済新聞』二〇二二—〇六—二〇．https://matsumoto.keizai.biz/headline/3593/（参照 二〇二二—〇八—二〇）．

（26）映画保存協会「地域映像アーカイブ リンク集」http://filmpres.org/project/bfa/community/（参照 二〇二二—〇六—二二）．

（27）原田健一「「にいがた 地域映像アーカイブ」の実践を通して——地域をブーツストラップする」『デジタルアーカイブ学会誌』二〇一九，三（四），三八三—三八七．

（28）時実象一「欧州の映画アーカイブ」『デジタルアーカイブ学会誌』二〇一九，三（四），三八八—三九三．

（29）国立映画アーカイブ．2019.10.31-11.10 上映企画 アメリカ議会図書館 映画コレクション．https://www.nfaj.go.jp/exhibition/libraryofcongress201910/（参照 二〇二三—〇一—二八）．

（30）ＥＰＡＤ実行委員会．舞台芸術の映像配信とデジタルアーカイブのこれから——ＥＰＡＤ事業報告書．二〇二一—〇三．http://epad-wp-data.s3.ap-northeast-1.amazonaws.com/wp-content/uploads/20210504221347/epad2020.pdf（参照 二〇二二—〇五—〇六）．

（31）Japan Digital Theatre Archives（ＪＤＴＡ）．https://www.enpaku-jdta.jp/（参照 二〇二二—〇五—〇六）．

（32）日本劇作家協会「戯曲デジタルアーカイブ」https://playtextdigitalarchive.com/（参照 二〇二二

一〇六―一二）．

（33）J-CASTニュース「戯曲の「デジタルアーカイブ化」はなぜ必要だったのか　無料公開に踏み切った思い、担当者に聞いた」二〇二一―〇三―二〇．https://www.j-cast.com/2021/03/20407358.html?p=all（参照 二〇二二―〇六―一二）．

（34）宮本聖二「放送デジタルアーカイブの現状と課題」『デジタルアーカイブ学会誌』二〇一八，二（四），三一二―三一七．

（35）新井宏和「ＮＨＫアーカイブスの取り組み」『情報の科学と技術』二〇一九，六九（二），八四―八八．

（36）日本脚本アーカイブズ推進コンソーシアム．https://www.nkac.jp/（参照 二〇二二―〇六―一二）．

（37）早稲田大学演劇博物館．https://www.waseda.jp/enpaku/（参照 二〇二二―〇六―一二）．

（38）国立国会図書館．歴史的音源．https://rekion.dl.ndl.go.jp/（参照 二〇二二―〇六―一二）．

（39）マンガ図書館Ｚ．https://www.mangaz.com/（参照 二〇二二―〇七―一八）．

（40）GoComics. https://www.gocomics.com/（参照 二〇二二―〇七―一八）．

（41）Internet Archive. The Vintage Software Collection. https://archive.org/details/vintagesoftware（参照 二〇二〇―〇五―一四）．

（42）AUTOMATON「議員当選の赤松健氏が，〝過去のゲームの合法的保存〟に着手。あらゆるゲームをプレイ可能な状態で後世に残す」二〇二二―〇七―一三．https://automaton-media.com/articles/newsjp/20220713-210212/（参照 二〇二二―〇七―一八）．

（43）ゲームアーカイブプロジェクト．http://www.gamearchive.jp/project.html（参照 二〇二〇―〇五―一四）．

（44）Wayback Machine. https://archive.org/web/（参照 二〇二二—〇八—〇九）．

（45）Internet Archive. https://archive.org/（参照 二〇二二—〇八—一三）．

（46）Brewster Kahle launches Internet Archive 1996. https://archive.org/details/1996-launch/Brewster+Kahle+Launches+Internet+Archive+1996-with+subtitles.mp4（参照 二〇二二—〇八—一三）．

（47）Kahle, Brewster「誰もがアクセスできるアーカイブをめざして　ブリュースター・ケール氏の講演から」『国立国会図書館月報』二〇一一，（一一），一六—一九．

（48）国立国会図書館「インターネット資料収集保存事業」https://warp.ndl.go.jp/（参照 二〇二二—〇八—〇九）．

（49）京都大学ＯＣＷ「京都大学オープンコースウェア（ＯＣＷ）の閉鎖について」二〇二二—〇八—〇四．https://ocw.kyoto-u.ac.jp/news/6/（参照 二〇二二—〇八—〇九）．

（50）Archive Team. https://wiki.archiveteam.org/（参照 二〇二二—〇八—〇九）．

（51）Saving Ukrainian Cultural Heritage Online（SUCHO）．https://www.sucho.org/（参照 二〇二二—〇八—〇九）．

（52）杉浦友哉「Ｗｅｂアーカイビングの現状と課題」愛知大学文学部図書館情報学専攻二〇〇九年度卒業論文要旨．http://tokizane.jp/Kogi/Aichi09-Sotsuron/06L4022_SugiuraTomoya.pdf（参照 二〇二二—〇八—〇九）．

第４章　３ＤとＡＩが記録する世界

4—1　戦争・災害と3D

(1) ウクライナ紛争で破壊された建物の3D画像

東京大学大学院情報学環の渡邉英徳教授らが作成した、ロシア軍によって破壊されたウクライナの建物の3D画像が話題を呼んでいる（図4—1）。テレビのニュースショーでもたびたび放映された。(1)

例えば図4—1は、マリウポリ市の劇場の3D画像である。ブラウザ上でこの画像を回転してみることでその破壊のすさまじさが実感できる。前庭には、「子供たち（дети）」と書かれた文字も見える。これはここに子どもたちが避難しているので爆撃しないで欲しいという意味だったが、それにもかかわらず爆撃で破壊され、何人が亡くなったか、いまだに不明である。

こうした3D画像はドローンで撮影されたビデオ動画や多数の画像からフォトグラメトリとい

図4-1　300人が死亡したとみられるマリウポリ市劇場の3D画像画面ショット。青山学院大学の高橋明彦氏、古橋大地教授がフォトグラメトリで作成（https://twitter.com/hwtnv/status/1509167098202771456）

う手法を用いて自動的に作成したものである。渡邉教授らは、ボランティアらが撮影し、ネット上で公開されている動画や画像から、こうして3D画像を製作して公開した。

（2）熱海土石流の3D画像

二〇二一年七月三日午前、静岡県熱海市の伊豆山地区で発生した土石流は、これまでに二八人が死亡となる大惨事となった。その土石流の激しさは、実況がテレビで繰り返し放映されたので多くの人が知っていると思われる。一体この土石流はどこで発生し、どのように流れてきたか、それはテレビの画面ではわかりにくい。静岡県土木課はその日のうちに土石流の起点を含めて4Kドローンで空撮し、その映像を公開した。この動画を見たボランティアは、その晩のうちに動画から3Dデータを作成し、ネットに公開した（図4―2）。

また、静岡県が提供する三次元点群データ（各地点の地表、樹木、人工物などの位置を測定した3D基礎データ）を利用したさらに詳細な3Dモデルもボランティアにより公開されている。

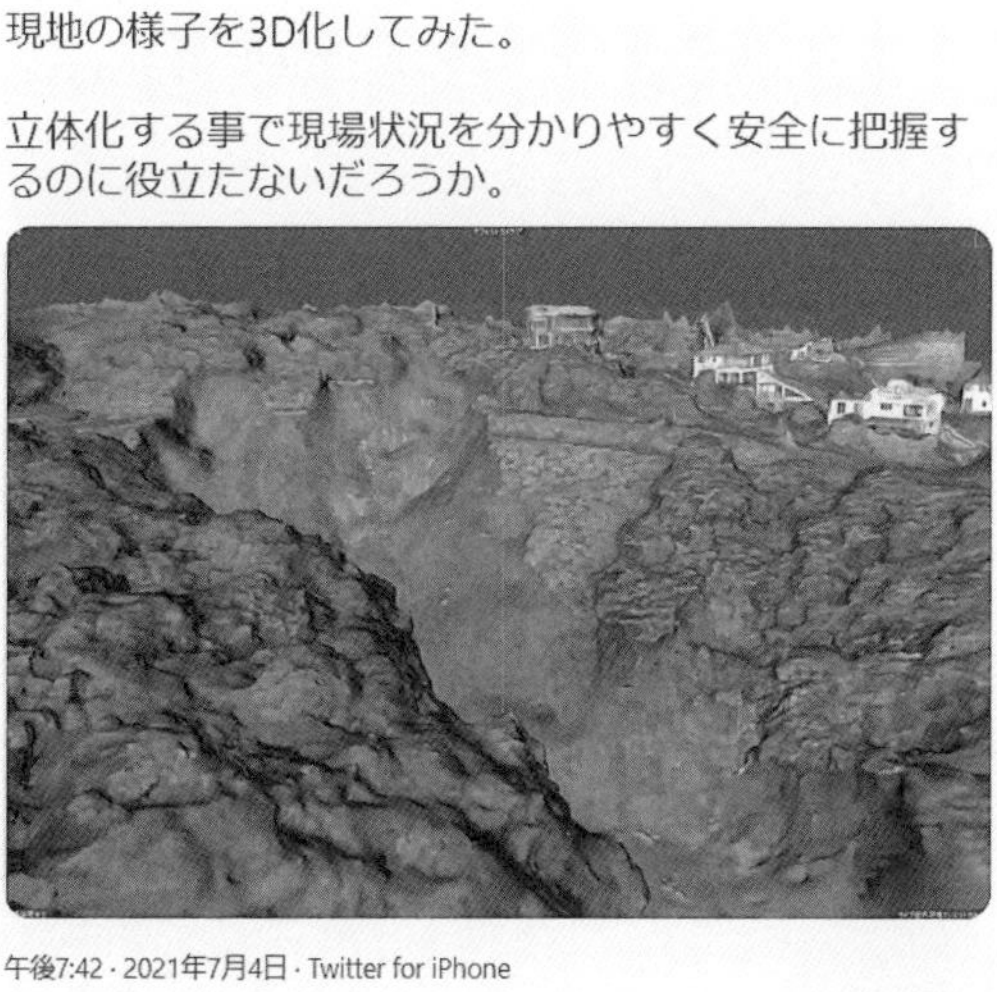
現地の様子を3D化してみた。
立体化する事で現場状況を分かりやすく安全に把握するのに役立たないだろうか。
午後7:42 · 2021年7月4日 · Twitter for iPhone

図4-2　熱海土石流現場の3D画像（https://twitter.com/lileaLab/status/1411636606100938 752）

（3）沖縄首里城3D復元

二〇一九年、沖縄の首里城が火災で焼失したが、東京大学「みんなの首里城デジタル復元プロジェクト」では、地元の方々から集めた首里城のスナップ写真をフォトグラメトリにより合成して3Dの首里城を復元した[2]（図4―3）。さまざまな角度、部分の写真三万枚を組合せ合成することで、過去の首里城をバーチャルの世界で復元しようという取り組みである。

図4-3　「みんなの首里城デジタル復元プロジェクト」のトップ画面（https://www.our-shurijo.org/）

（4）フォトグラメトリで誰でもできる3Dモデル

フォトグラメトリという手法では特別の3D撮影装置が不要で、普通のデジタルカメラやスマホで撮影すれば十分という手軽さにより普及している。

着物のフォトグラメトリを試みた人もいる。「iPhone12 Proの動画フレーム180枚と写真35枚で制作した」とツイッターに投稿している（2020/12/27）（図4―4）。

また「スイスの秘境、18世紀の姿をそのまま残すソーリオ村を丸ごとVR化したワールドを作成しました。」とのツイッター投稿があった（図4―5）。全体像はドローンで一時間の撮影、路地の撮影は一眼レフカメラと、バックパックにInsta360 One Xというカメラを差し込んで、前後同時に二時間かけて撮影して完了、というから驚きである。

図4-4　着物のフォトグラメトリ3D画像（https://twitter.com/DuckbillStudio/status/1343194661670715392）

図4―6は筆者がiPhoneで撮影した二三枚の写真から、Meshroomという無料ツールで作成した「クマのぬいぐるみ」の3Dモデルである。このモデルはビューアで自由に回転できて、どの角度からも見ることができる。ぬいぐるみの質感もよく表現されている。この程度のものなら三〇分で完成する。帽子が穴だらけになっているのはこの部分の画像が不足していたためである。

図4-5　スイス、ソーリオ村の丸ごとVR

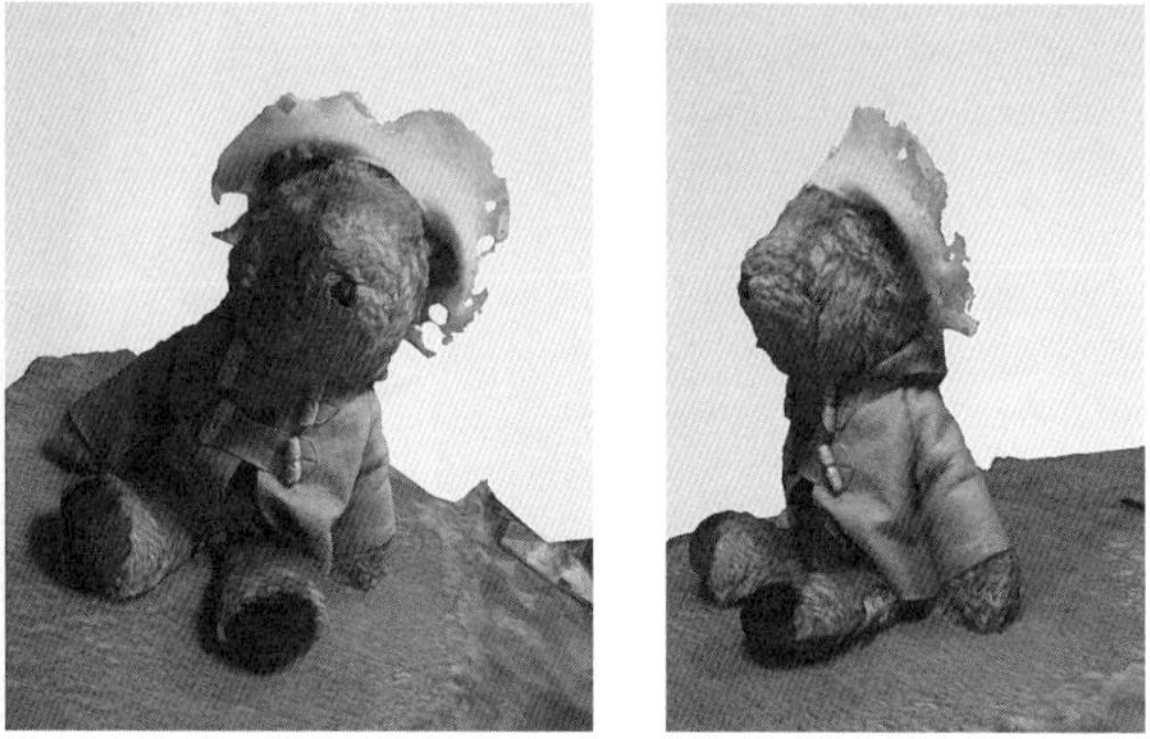

図4-6　筆者が作成したクマのぬいぐるみの3D画像

4―2　ドローンの活躍

ドローンはすっかり日常の現象となっている。テレビで見る災害現場の動画の多くは、昔はヘリコプターで撮影していたが、今はほとんどがドローンによる撮影になっている。NHK BSの日本百名山踏破の記録映像「グレートトラバース」では、登山家田中陽希氏が雪の稜線を踏破する俯瞰動画など、素晴らしい画像が多く見られるが、これらはほとんどドローン撮影である(3)。

前節で紹介したウクライナの3D画像の多くは、ボランティアがドローンで撮影した画像から構築された。戦時下でのドローン撮影は、命がけのもので、実際ロシア支配下のボロジャンカでドローン撮影を行っていたマーク・レヴィン氏は行方不明となり、キーウで死亡が確認されたという。なおドローンとはもともと雄バチの意味であるが、同時にブンブンという音のことも指している。この「無人航空機」がドローンと呼ばれるようになったのは、その「ブーン」という音からの類推だといわれている(4)。

図4-7　ホビー用ドローンMavic Air（筆者撮影）

ドローンとは簡単にいえば無人の航空機である。ドローンには飛行機型のものとヘリコプター型のものがあり、それぞれに軍事用のものと民生用のものがある。アゼルバイジャンとアルメニア間の紛争でアゼルバイジャンがトルコ製のドローンを使用して戦局を有利に進めたとの報道があったが、そのドローンは飛行機型のものである。一方民生用のドローンの多くはヘリコプター型（羽が複数あるマルチコプターがほとんど）である。民生用のものは、航空撮影の他、農薬散布、軽貨物輸送、山林管理、海難救助などに用いられている。また、オリンピックの開会式、閉会式などでドローンを使って夜空を彩ることはほぼ通例となってきている。これらはＡＩでコントロールされており、自律的に編隊飛行する。

ドローンが登載するカメラは実用に耐えるものが多い。筆者が使っているＤＪＩ社の普及型Mavic Air（図４―７）でも、静止画の解像度が一六：九で四〇五六×二二八〇ピクセル、動画では4K Ultra HDで三八四〇×二一六〇ピクセル、フレーム・レートは24/25/30pとなっており、かなりの解像度が期待できる。

ドローンにはジンバル機能が付いている。ジンバルとは「一つの軸を中心に物体を回転させる回転台のことで、デジタルカメラやスマートフォン、ドローンなどで動画を撮影するときに手ぶれを補正する機材のこと。」である。路上でテレビや動画撮影しているところを見かけたら、カメラマンの手元を見るとよい。カメラの下にくねくねとした回転台が付いていることがある。これがジンバルである。これにより、撮影者の体や手元がゆれても安定した動画が撮影できる。

図4-8　ドローンによる輪中の撮影

（1）地形や街並みの撮影

ヘリコプターをチャーターすると、一時間約二〇万円かかるといわれる。ドローンであれば、資格を持ったプロに一日撮影を依頼しても一〇万円かからない。さらにドローンの方が低空飛行も、目標物への接近も可能で、フレキシブルに撮影可能できる。

岐阜女子大学では、輪中をドローンで撮影し、堤防と集落の関係を観察している(5)（図4—8）。同大学では二〇二〇年度からドローンの操縦を一年生の必修科目としたという。大学としては、「ドローンで撮影した動画の編集やウェブデザインなどデジタル技術が身につく、また栄養学の学生は畑の作物の生育状

図4-9　クレーンによる撮影
（Vssun. Wikimedia Commons. 2010-12-18.）
（https://commons.wikimedia.org/wiki/File:Film_Shooting_From_a_Crane.jpg）

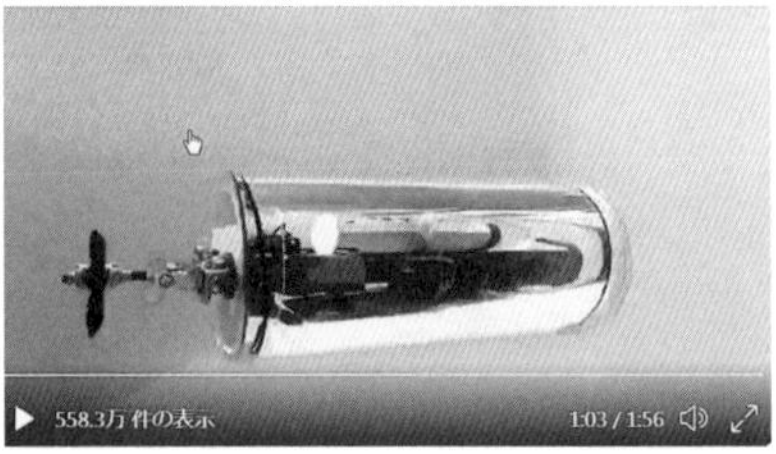

図4-10　水中ドローン
（https://twitter.com/Rainmaker1973/status/1548599670867386368）

況をドローンで確認できる」とその効果を述べている。

（2）建造物や大型物体の撮影、俯瞰撮影

大きな建造物を撮影したり、俳優の演技を俯瞰して撮影するには、これまでクレーン車が用いられてきた（図4―9）。これも一日チャーターすれば二〇万円ほど要する。これをドローンに置き換えると、準備も撮影も大幅に簡単になる。前述ウクライナの3D画像が良い例である。

（3）水中ドローン

水中ドローンも存在する。レゴブロックの材料を活用して、ラジコン潜水艦を

工作した例が紹介されている（図4―10）。工作の様子と、実際の川を二〇〇m潜水で走らせた動画が公開されている。

（4）ドローンの可能性

このように便利なドローンであるが、宅地や都市部では届け出や許可なく飛ばすことはできないので、使用するには人気のない海岸や河川敷などを飛行場所として選ぶことになる。Mavic Airの最大高度は五〇〇〇mとなっているが、これは高い山の上でも飛ばすことができるという意味であり、現実には機体が目視できる高さということで一〇〇m程度がしろうとの限界だろう。そのくらいの高さになると、風も強く流される危険がある。筆者も一度強風で操縦不能となって茂みに墜落させてしまい、操縦アプリに登載されている「ドローンを探す」機能でようやく見つけることができた。なお二〇二二年六月二〇日より、一〇〇g以上のドローンは国土交通省への登録が義務化された。

4—3　ＶＲ／ＡＲを活用する博物館・美術館

（1）実物のない展示

大日本印刷株式会社（ＤＮＰ）では、フランス国立図書館（ＢｎＦ）のリシュリュー館の所蔵品であるサン・ドニ修道院の宝物（プトレマイオスの杯およびホスロー一世が所持していたといわれるササン朝の杯、金・水晶製）、アミコスの絵師の水瓶（ヒュドリア）といった古代の美術品から、中世とルネサンスの芸術作品までを含むさまざまな彫刻の３Ｄデジタル化を行った（図４—11）。こうして作成された３Ｄ画像を活用して、ＤＮＰ社は「これからの文化体験　時空を超えた鑑賞体験で「学び」が変わる⁉　～最先端ＶＲ技術がもたらす可能性と課題～」を開催した。ここでは「みどころグラス」というゴーグルをつけることにより、空のケースの中に、実物のようにあたかも壺や彫刻を見ることができる（図４—11）。

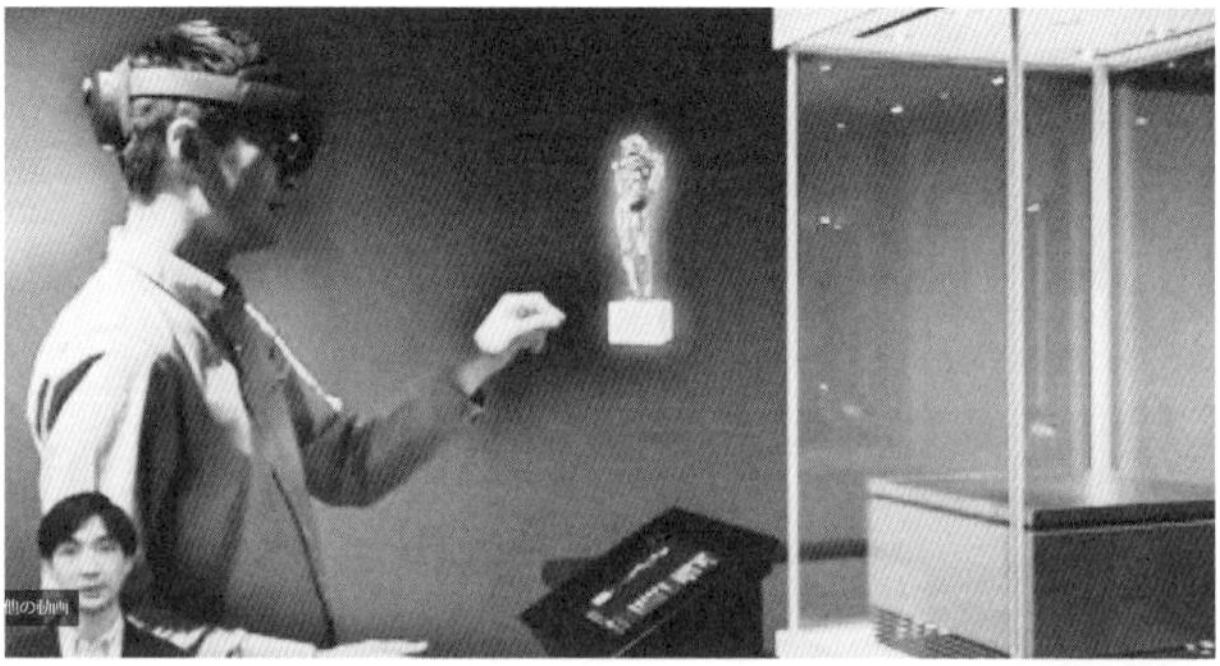

図4-11　BnF×DNP ミュージアムラボ「これからの文化体験」展示「みどころグラス」の様子（http://museumlab.jp/bnfRichelieu/experience/）

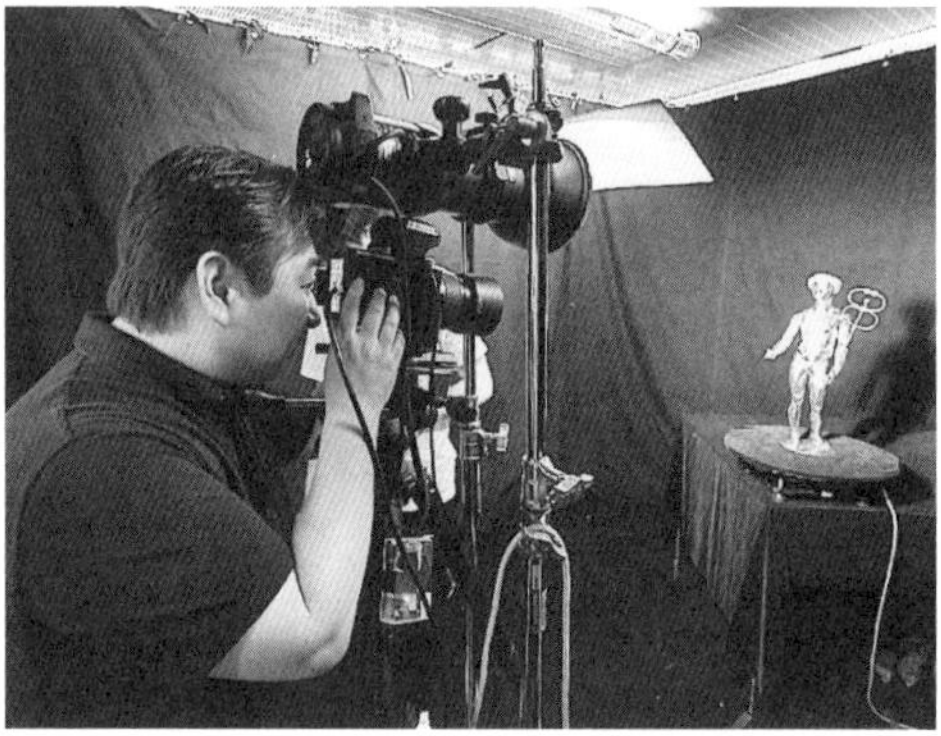

図4-12　スタジオでデジタル化作業を行うDNP社員（©David Paul Carr / BnF）（https://www.dnp.co.jp/news/detail/1192845_1587.html）

この撮影は、主としてターンテーブルに載せて回転させてカメラで撮影、フォトグラメトリで3D化を行ったという（図4―12）。ターンテーブルを用いたのは、貴重な美術品に直接触れないようにするためと、窪んだところも撮影できるからである。

（2）VR／AR

VR／ARということばを最近よく見かける。これはどういうものだろうか。VR（Virtual Reality）は「仮想現実」と訳し、実際には目の前に存在しない3D光景を体験させるものである。富士急ハイランドで提供しているフライト・シミュレーション「富士飛行社」などがこれである（図4―13）。一方AR（Augmented Reality）は「拡張現実」と訳し、実際の光景に3D画像を合成するもので、前記DNPの仮想博物館で空の展示ケースに彫像を見せているのがこれにあたる。

富士急ハイランドに新アトラクション『富士飛行社』がオープン！！
2014年7月18日
図4-13　富士飛行社（https://www.mtfuji-hotel.com/new/blog/1154.html）

VRやARを体験するにはゴーグルが必要であることが多い。近年安価なものも多数見受けるようになった。ゴーグルをつけると、首を上下や左右に動かしたり、歩いたりしても3Dがそれについてくるので、臨場感が高い。しかし視野が狭い、画像がぎこちないなどの欠点もあり、特に人によっては装着することによる圧迫感を

図4-14　Sony Spatial Reality Display(https://www.youtube.com/watch?v=KrLMnQM0_Ps)

嫌う場合がある。

VR／ARでなく、単に3D画像を体験するだけならPCやスマホでもある程度可能である。3Dのビューアでは、手元で3D画像を前後左右、上下に回転させたり、拡大縮小ができる。

ソニーが最近開発した空間再現ディスプレイ(Spatial Reality Display)（図4―14）はディスプレイが見ている人の顔の動きをとらえて立体画像を表示するもので、ゴーグルを装着する必要がなく快適である。

また、米国で開発されたMergeCubeというツールを使うと、スマホやタブレットの中で3D操作ができる。スポンジで作られた、縦横高さ七cmの立方体で、立方体の各面には不思議な図形が描かれている（図4―15）。この図形は、見ているのがどの面か、またその面がどの方向を向いているかを識別するための模様である。

専用のアプリをiPhone、またはiPadにインストールして、コンテンツを選択すると、カメラレンズを通したMergeCubeが3Dの物体に変身する。利用者はこの立方体をレンズの向こう側で動かすことにより３Ｄ物体を操作できる（図４—16）。これはアプリが立方体の面向きや動きを認識して該当する３Ｄ画像を表示しているのである。立方体を回転させたりすると３Ｄ画像が手のひらの中で回転するので操作感がすぐれている。

おもちゃとしてだけでなく、理科教育、医学教育、博物館のバーチャル展示などの用途が期待されている。コンテンツは提供されているツールを使って自分で作成することができる点も興味

図4-15　MergeCubeの外見
（https://www.gadgetgram.com/wp-content/uploads/2021/05/1.-Merge-Cube-2.png）

図4-16　ウェブに接続し、スマホを通してMergeCubeを回転させると、スマホ画面で3D画像を操作できる（71H9NLc8NoL._AC_SX679_.jpg）

深い。

（3）セルフミュージアム

ジャパンサーチやユーロピアーナ、DPLA、ニューヨーク公共図書館など世界各地のデジタル・コレクションをまとめて探すことのできるカルチュラル・ジャパンでは、「セルフミュージアム」というツールを提供している。これは自分が選んだ美術品画像などを仮想の展示室の壁に並べて、あたかも自分の美術館で閲覧しているような気分を味わえるものである（図4―17）。

またキャンパスや博物館の簡易な3Dツアーを構築するにはthinglinkというツールがある。獨協大学の「獨協大学360°ツアー」では大学キャンパスの3D画像の中にビデオやクイズを埋め込むことで、大学紹介を行っている。

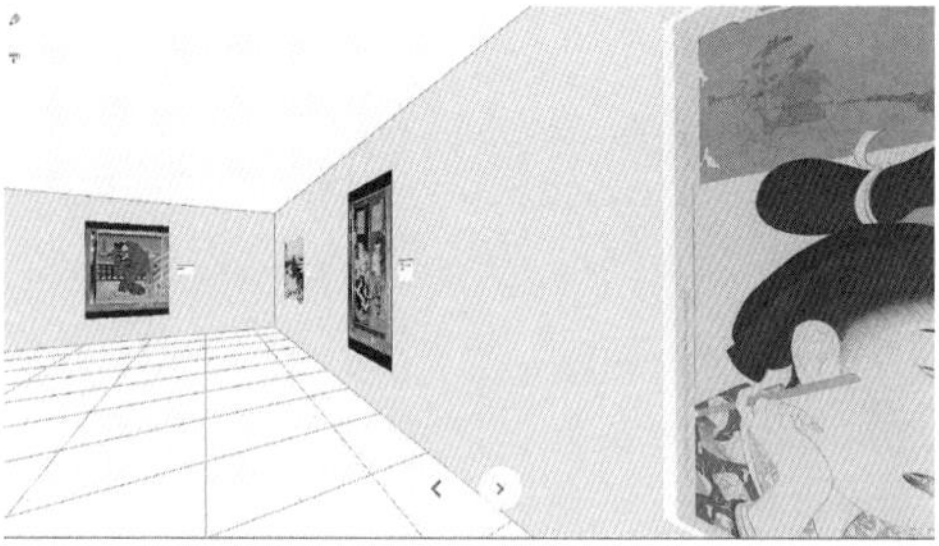

図4-17　カルチュラル・ジャパンのセルフミュージアム（https://self-museum.cultural.jp/）

（4）文書館がＶＲを使ってみた

沖縄県公文書館は、廃藩置県前の琉球国、戦前の沖縄県、米軍統治下の琉球政府、そして沖縄復帰後の沖縄県、とその目まぐるしい歴史の変遷の資料を保管している。二〇二二年、一連の復帰五〇周年企画展を行ったが、その中で特に注目されるのが、展示資料「琉球政府文書」のＶＲ展示室である。一見よくあるＶＲ展示であるが（図４―18）、「資料を見る」と示されているボタンをクリックすると、そこで文書閲覧画面に切り替わり、文書の中身を閲覧できる（図４―19）。さらに、対応する現場の展示では、展示フレームに貼られているＱＲコードをスマホで読み取ることにより、文書の中身を読むことができるようになっている（図４―20）。まさに、図書や文書資料の新しい見せ方を開拓したものである。

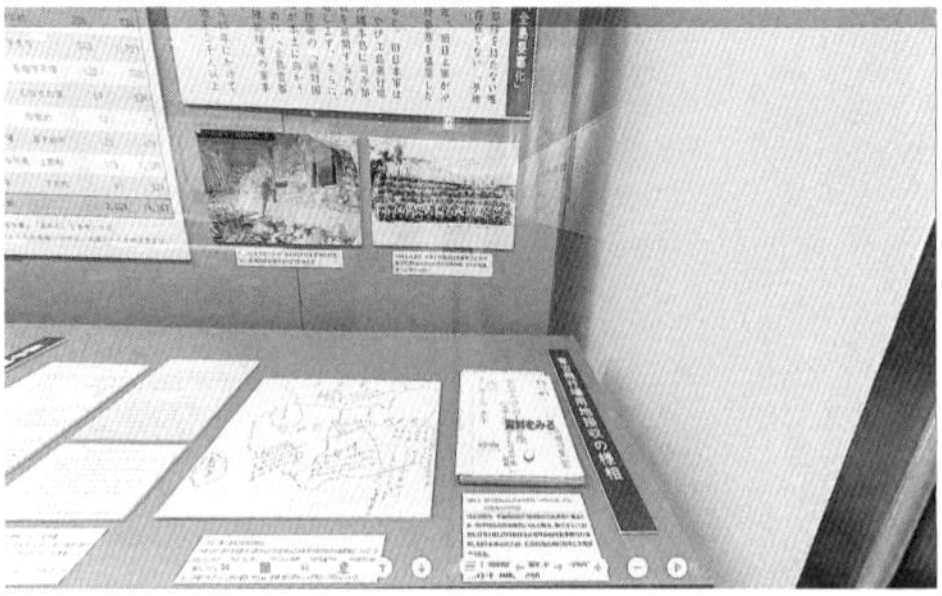

図4-18　沖縄県公文書館VR展示室。中央下に「資料をみる」と赤字で示されている

図4-19　沖縄県公文書館VR展示室。図4-18の資料を開いたところ

図4-20　沖縄県公文書館VR展示に対応するリアル展示のQRコード

4—4　画像を自由にあやつるIIIF

国際日本文化研究センターの「吉田初三郎式鳥瞰図データベース」で「箱根名所図絵」で検索すると、横長の鳥瞰図が見つかり、元箱根付近も表示されている。(6) 一方国立国会図書館デジタルコレクションを「箱根」で検索し、「古典籍資料（貴重書等）」「絵図」と絞っていくと二件の古典籍が見つかり、その一つは伊能忠敬が作成した「大日本沿海輿地全図」の箱根付近の地図である。この二つを見比べてみたのが図4—21である。IIIF（「トリプルアイエフ」と読む）を使うと、このように別々のサイトにある複数の画像を手元で自由に表示できる。

IIIFはInternational Image Interoperability Frameworkの略で、画像へのアクセスを標準化し相互運用性を確保するための国際的なコミュニティ活動である。IIIFに基づいて公開されている画像データは、IIIFのツールを使うことにより、遠隔地にある画像データをダウンロードすることな

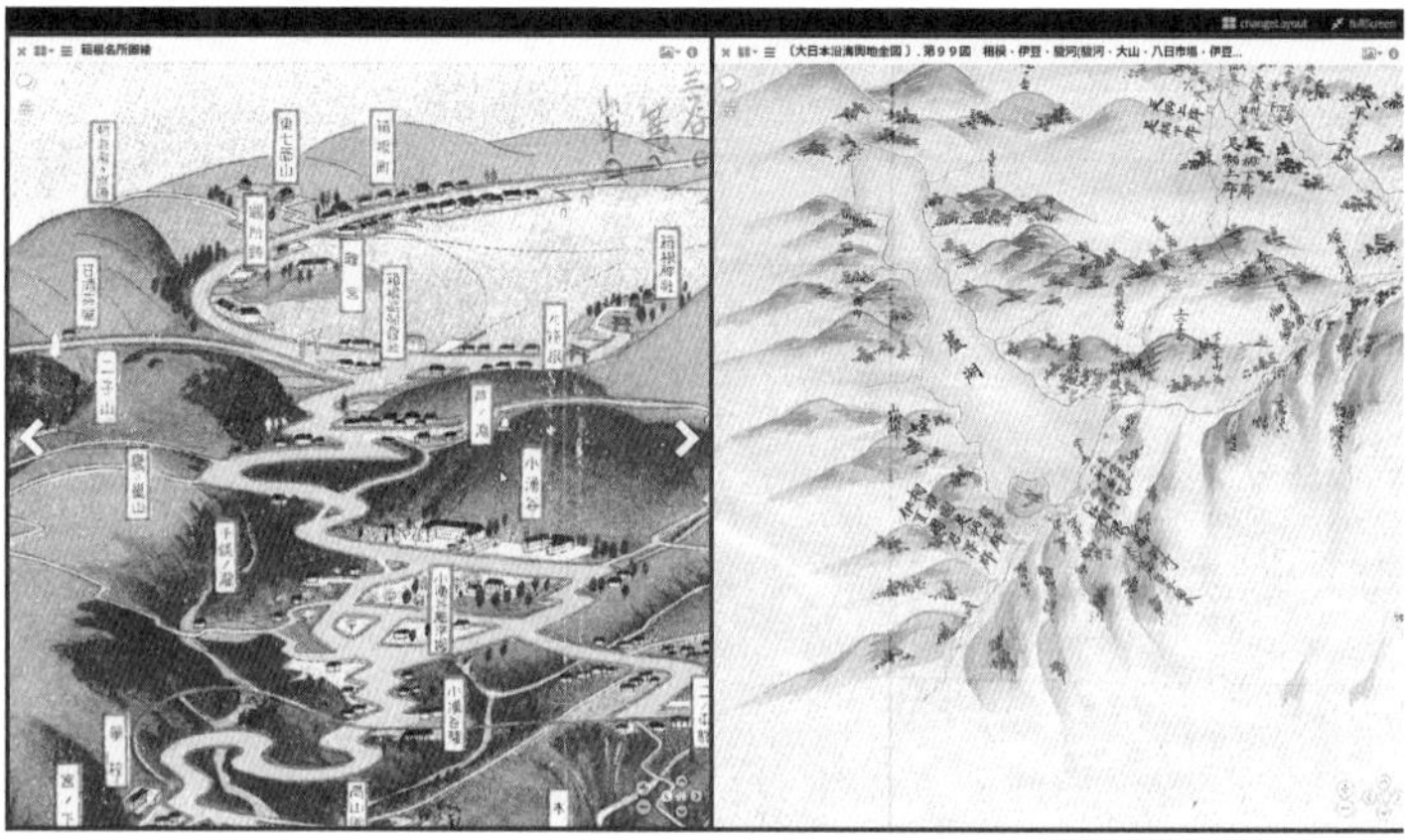

図4-21　箱根付近の地図をIIIFで横に並べてみる（https://iiif.nichibun.ac.jp/YSD/detail/005532981.html および https://dl.ndl.go.jp/info:ndljp/pid/1286646 から作成）

図4-22　IIIFのロゴマーク

く、自分のウェブ画面上に取り込み、自由に加工することができる仕組みである。このように、別々の場所（この場合は国際日本文化研究センターと国立国会図書館）に保管されている画像を呼び出して、画面上に並べることができ、さらには拡大縮小やトリミングもできる。IIIFに対応している画像にはIIIFのロゴマークがついている（図4―22）。

現在デジタルアーカイブを公開している機関はどんどんIIIF対応になってきている。

以前はデジタルアーカイブ・サイトで画像を公開する場合、画像の拡大・縮小などを実現するためにビューアを独自に開発する必要があった。利用者はサイトごとに違うビューアを使わざるを得ず、不便を強いられた。さらには、公開システムのサーバがバージョンアップしたりすると、そのビューアは使えなくなり、結果的にそのデジタルアーカイブは使えなくなったことも多々あった。公開する画像をIIIF対応にしておけば、共通のビューアが使えるので、もう画像の公開方法について頭を悩ます必要がなくなった。

IIIFに対応しているビューアとしてはUniversal ViewerとMiradorがよく知られている。図4―21はMiradorを使った例で、その使い方は国際日本文化研究センターのサイトが分かりやすい。(6)また、人文学オープンデータ共同利用センターでは、複数の資料から画像の一部を切り取って並べることが容易なIIIF Curation Viewerを公開している。

IIIFの特徴は次のようにまとめられる。

（1）共通のビューアが使える
（2）画像の拡大・回転・切り取りなどの操作ができる
（3）複数のサイトの画像を比較表示ができる
（4）自由にアノテーションをつけることができる

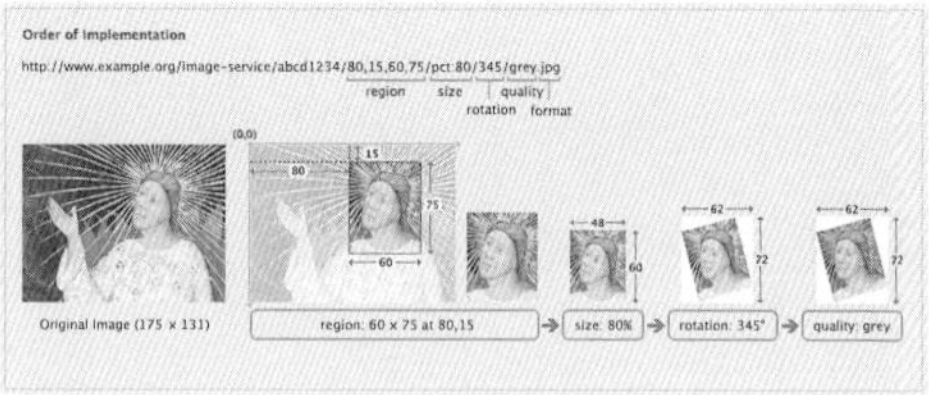

図4-23　IIIFによる画像の操作例（https://iiif.io/get-started/how-iiif-works/）

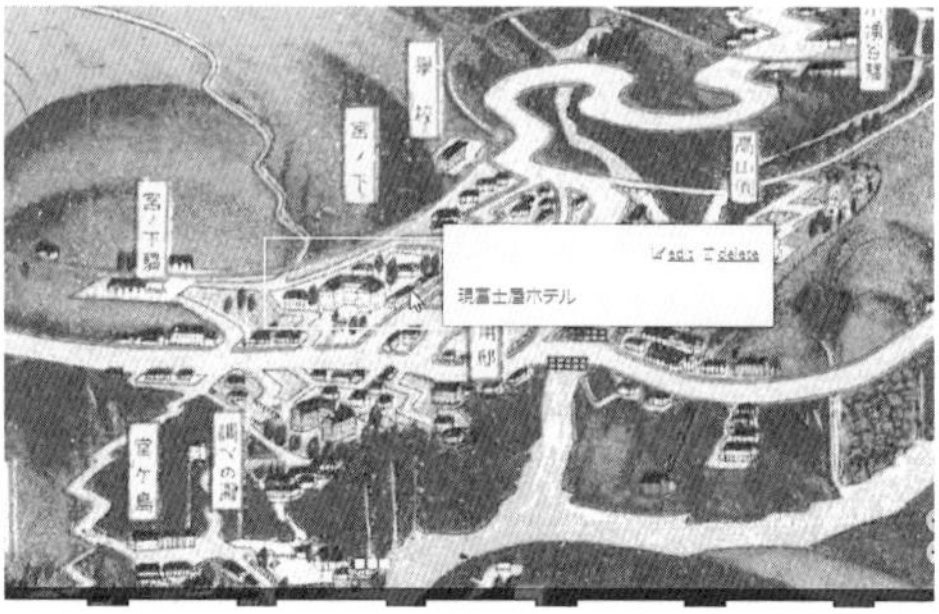

図4-24　IIIFのAnnotationを試した例

画像の操作としては、図4−23のように画面の一部を切り取り、サイズを変更したり、回転したり、あるいはカラーを白黒に変換したりする操作が手元でできる。

最後のアノテーションとは、注釈という意味である。先の例にあげた吉田初三郎の箱根の図にMiradorのデモサイトで注釈をつけてみたのが図4−24である。この注釈は保存して公開できる。

IIIFは普及が進んでおり、後述の「みんなで翻刻」や「顔コレ」でも使われている。

4―5　ＯＣＲの進歩

（1）ＯＣＲの進歩

前述のGoogle Booksでは、デジタル化された書籍の本文の全文検索が可能である。たとえば、筆者の地元に江戸時代（一六一一年）に彫られた用水路、丸子川（六郷用水）というものがあるが、これは多摩川の水を大田区の六郷に導くための用水であった。この工事を指揮したのが代官・小泉次大夫（吉次）であったので、この用水は次大夫堀とも呼ばれる。この「小泉次大夫吉次」をGoogle Booksで検索すると、二件の書籍が見つかり、スニペット（ヒットした部分の表示）も見ることができる（図4―25）（ただし本文は現在のところ見ることができない）。

一方国立国会図書館のデジタル化書籍のデータベース、国立国会図書館デジタルコレクションでは、これまで本のタイトルや別途入力した目次からしか検索できなかったので、「小泉次大夫

図4-25　Google Booksで「小泉次大夫吉次」を検索

吉次」では何も見つからなかった。

一般に本をデジタル化すると画像が得られる。画像に記された文字は、人間は読むことができるが、そのままではコンピュータは文字として読むことができない。これを可能とするのが光学文字認識（Optical Character Recognition: OCR）である。最近の出版物や印刷物なら、日本語OCRではかなり正確に読むことができるが、昔の活字が使われていたり、印刷品質が悪く、印字がつぶれていたりする昔の本は認識率が悪く、国立国会図書館の初期の実験では結局本番採用には至らなかった。

その後国立国会図書館次世代システム開発研究室では、保有するデジタル化資料の全文を、AIを活用した最新の技術を用いてOCR化する試みを進めている。これらのうち、著作権の問題がない図書等訳二八万点を二〇二二年に「次世代デジタルライブラリー」として公開を開始した(7)。これで「小泉次大夫吉次」を検索すると一四件の書籍が見つかった（図4―26）。これでようやくGoogle Booksよりよい結果が得られることとなった。

その回答は図4—27のとおりで、ＯＣＲで読み取った文章が左に表示されているが、極めて正確なことがわかる。また、本文中にはヒットした文字列の場所に位置マークが表示されている。

2—3で紹介した中谷宇吉郎著「雷の話——雷の電気はどうして起るか」も全文検索できるようになっており、「雷の鳴る時には、必ずうす黒いもくもくとした雲がやつて來る」と入力して検索すると、ちゃんとこの本の該当ページが検索されてくる。

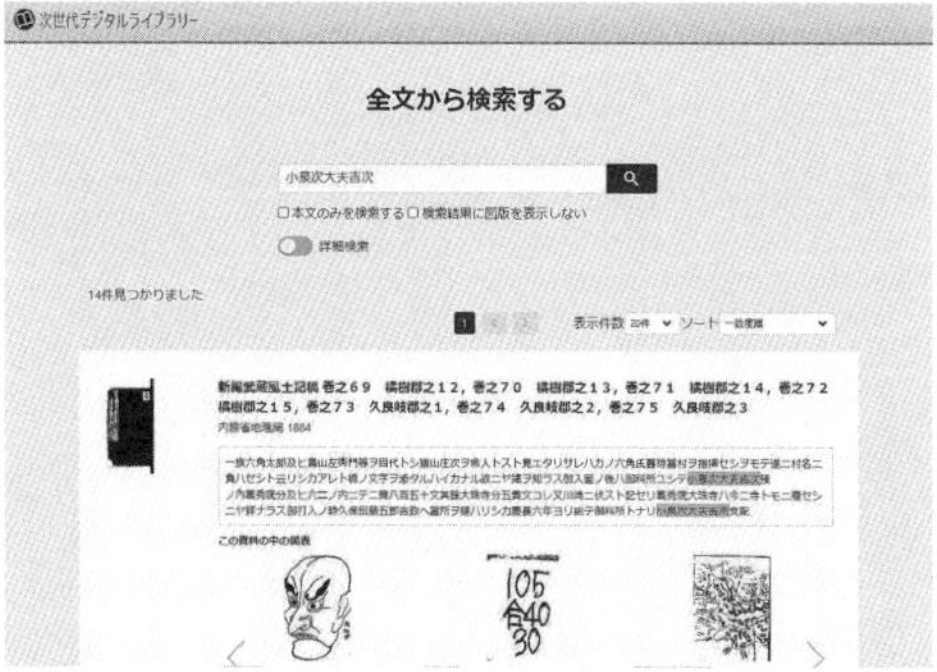

図4-26　国立国会図書館次世代デジタルライブラリー」で「小泉次大夫吉次」を検索

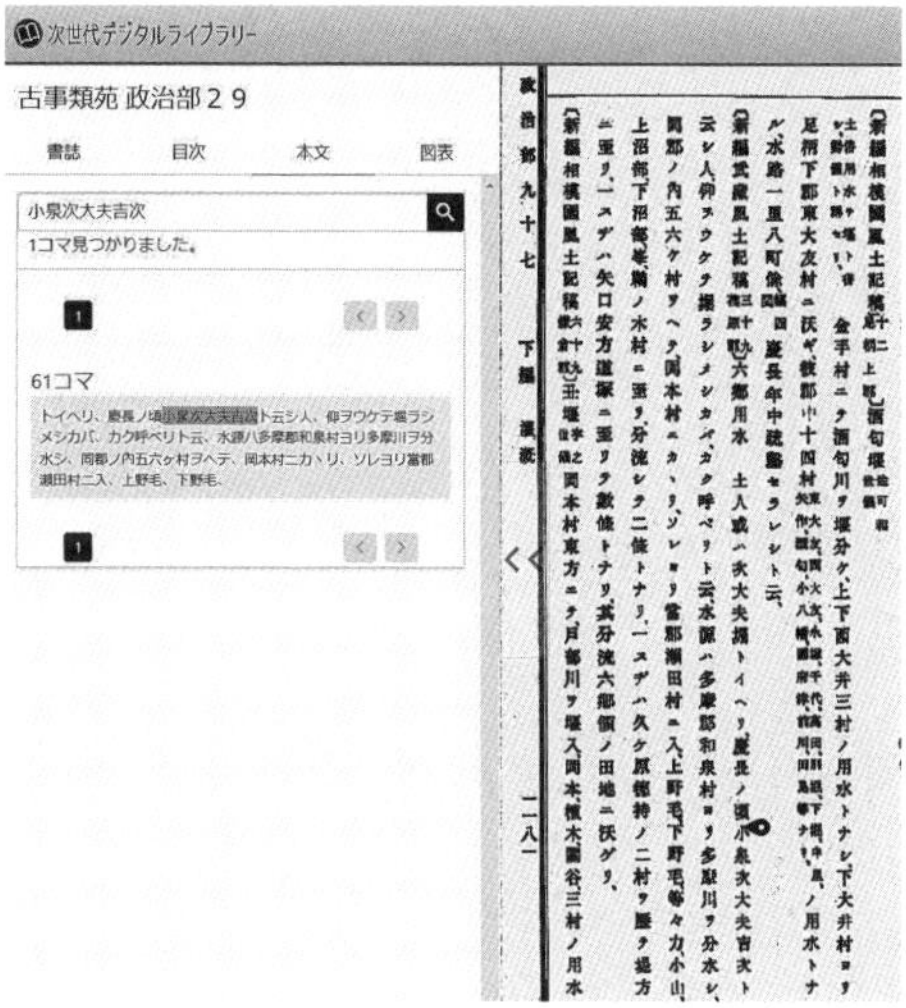

図4-27　見つかった古書の本文を見る

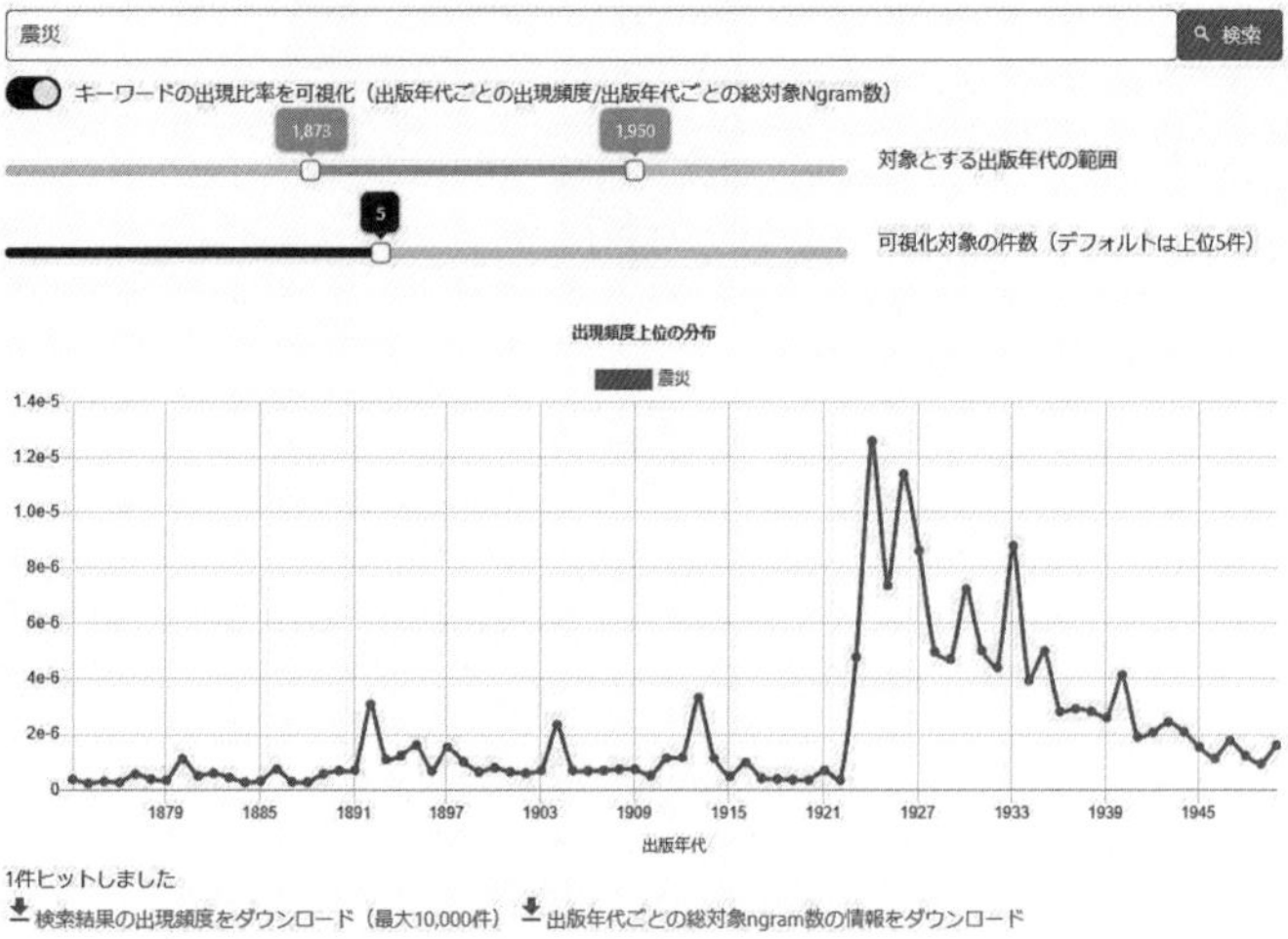

図4-28　「次世代デジタルライブラリー」のNDL Ngram Viewerで「震災」という語の出現頻度を見る

二〇二三年二月現在、次世代デジタルライブラリーで全文検索の対象となっている書籍は二八万点となっているが、今後も拡張されることが期待される。さらに崩し字で書かれた古典籍のOCRも進んでおり、八万点が公開されている。

そして全文が検索できるようになったことにより、ある文字列の、出版年代ごとの出現頻度を可視化・列挙することができるサービスNDL Ngram Viewerが公開された。たとえば、「震災」という語をプロットしてみると、当然のことながら一九二三年の関東大震災の直後にピークとなり、その後漸減していることが見て取れる（図4―28）。

このツールの活用実績はこれからであるが、時代研究、言語動向など、さまざまな応用が期待される。

4—6　カラー化でよみがえる白黒写真

（1）白黒写真のカラー化

二〇二〇年七月に発売された庭田杏珠、渡邉英徳共著の『ＡＩとカラー化した写真でよみがえる戦前・戦争』は、戦後七五周年というタイミングもあり、発売後新聞やテレビの話題となり、一ヵ月で五刷（二〇二一年九月現在は六刷）までいくというヒットとなった。

著者の庭田氏は次のようにあとがきに書いている。

「高校1年生の夏。私は広島平和記念公園で偶然、濵井德三さんと出会いました。濵井さんの生家は戦前、中島地区で「濵井理髪館」を営んでいました。中島地区は現在の平和公園にあたる場所で、原爆投下前は４，４００人が暮らす繁華街でした。

濵井さんが疎開先に持参した大切なアルバムを見せてもらうと、戦前のご家族との幸せな日常を写した白黒写真約250枚が収められていました。「ご家族をいつも近くに感じてほしい」という想いから、私はカラー化の取り組みを始めました。
その後も、少しずつ中島地区の元住民との繋がりが広がり、資料や対話を通してよみがえったさまざまな「記憶の色」を再現しています。」

白黒写真のカラー化の手法は次のとおりである。

1．写真をデジタル化する。
iPhoneのフォトスキャンアプリでスキャンしクラウドに保存する。
2．デジタル化された写真をＡＩツールで自動色付けする。
3．自動色付けされた写真をPhotoshopを用いて色補正する。
この際、写真の所有者あるいは当時を知るひととの対話をもとに「記憶の色」をよみがえらせていく。

カラー化のツールは最近はいくつかあるが、庭田氏らは早稲田大学と筑波大学が開発したツールを使っている。

たとえば家族全員を原爆で失った広島の濵井氏の写真（図4―29）では、「服はグレーですよね。兄は黒ですからね。やっぱりあの時代は、食べるものをこぼすのでエプロンして」といったやりとりをもとに手作業で補正を繰り返していったとのことである。

図4-29　『AIとカラー化した写真でよみがえる戦前・戦争』掲載の濵井氏の子供時代の写真（https://web.archive.org/web/ 2020071813 5609/https://blogos.com/article/ 472130/）

また次の写真では、手前の花をＡＩは黄色に着色したが、庭田氏らはこの花は「シロツメクサ」ではないかと思い、白に戻した。これを濵田氏に見せたところ、「これはタンポポだった」と思いだしたので、再度黄色に直したそうだ（図4―30）。

渡邉教授は、また米国公文書館などからオープンに公開されている戦争前、戦中の写真をカラー化して、ツイッターで連続投稿している(8)（図4―31）。

Hidenori Watanave, Ph.D.
@hwtnv
80年前の今日。1942年5月8日，珊瑚海海戦の当日，カリフォルニア州の日系人強制収容所に向かうバスを待つ，モチダ家のメンバー。ニューラルネットワークによる自動色付け＋手動補正。
Automatic Image Colorization
午前6:00 · 2022年5月8日 · SocialDog for Twitter

図4-31　渡邉英徳教授のツイートの例。この出典はWorld War II Database[8]
(https://twitter.com/hwtnv/status/1366493461432700933)

図4-30　『AIとカラー化した写真でよみがえる戦前・戦争』掲載の写真の花の色を記憶によって再現する（上から、原画、自動色付け、記憶による再現1、記憶による再現2）
(https://gendai.ismedia.jp/articles/-/66484?page=4)

（2）ビデオのカラー化

ＮＨＫでは二〇一四年に「カラーでよみがえる東京」という特集を放映している。そのカラー化作業そのものはフランスの業者が行ったが、その指導を行った小林美術科学は

フランスの業者が白黒映画のカラー化していたのですが、どんなに日本のことを詳しく調べて彩色しても（実際よく調べていました）、「東京の湿った空気」「大正時代の着物の重ね具合」は、どうしたって日本人じゃないとわからない。そこでフランスの業者に説明するために、私がカラー化した静止画像を制作し、それを使って説明したわけです。

と語っている(9)。

当時のカラー化は基本的に手作業だったので、大変な時間がかかったと聞いている。現在ではＡＩを活用することで大幅に改善していると思われる。実際、ＮＨＫでも「カラーでよみがえるアメリカ」など、過去の映像をカラー化した番組が多数放映されている（ＮＨＫオンデマンドで視聴可能）。

図4-32　ピーター・ジャクソン監督のカラー再現記録映画『彼らは生きていた』の画面、左半分はカラー化画像、右半分は元の画像（https://eiga.com/news/20191220/5/）

最近話題となったのは、ピーター・ジャクソン監督が一〇〇年前のモノクロ映像を修復・着色した第一次世界大戦の記録映画『彼らは生きていた』である（二〇二〇年）。

ジャクソン監督は元の記録映像を忠実に復元するため歴史の専門家を招き、兵隊一人ひとりの階級、制服やボタンの色、一瞬しか映らない小物など細部に至るまで確認しただけでなく、映像に登場する場所へ監督自ら実際にいき、数千枚に渡る写真を撮影。背景の色の再現に役立てるほど徹底した着色作業が行ったとされている（図4―32）。

ＡＩが手軽に利用できるようになったので、個人でYouTubeなどにある過去の映像をカラー化してみた例もある（図4―33）。

いずれにしても、カラー化はＡＩですべて自動でできるものではなく、衣服の色や建物・看板の色など、当時の人の記憶に頼るしかない。結果として、カラー化したものはあくまで「カラー化した写真」であり、それ自体の信頼性は十分ではない。こうしたものがアーカイブといえるかどうかは議論のあるところであるが、カラー化により画像や映像の訴求力が大幅に高まることも事実であり、アーカイブの活用法のひとつとして今後も発展するものと思われる。

図4-33　モノクロ映画「カサブランカ」をカラー化した例、右上のボックスが元の白黒画像(https://blog.takuya-andou.com/ entry/deeplearning_colorize)

4—7　みんなで翻刻

ＮＨＫ Ｅテレの「ＮＨＫ短歌」（二〇二二年三月一三日）で、「古文書の研究会に出てみたら、古文書のような人々に出会った」という趣旨の短歌が紹介されていた（古文書の集いに初めて顔を出し古文書みたいな人たちに会う（群馬県　館林市　長谷川清））。このように、「古文書を読む」のはこれまで定年を過ぎた人の趣味というイメージがあった。しかし、ネットの「みんなで翻刻」はこのイメージを一変させた。

「翻刻」ということばを聞いて、すぐ意味が分かる人は多くない。「翻刻」とは「［名］（スル）写本・版本などを、原本どおりに活字に組むなどして新たに出版すること。「古鈔本を翻刻する」（デジタル大辞泉）」とされている。古文書の世界では、崩し字など、現代では判読困難な文字を現代の文字で再現することであり、最近では昔の本をテキスト化することを指している。英語ではTranscriptionと呼び、古文書や手紙などのデジタル化を意味している。古文書や手紙などを画像としてデジタル化しても、そのままでは現代人は読むことができず、またコンピュータでも判読ができないので、「翻刻」は重要な作業である。古文書の「翻刻」は本来崩し字を読むことのできる人がこつこつ行うもので、地域でも「古文書講座」や「古文書サークル」といった活動があちこちで行われている。

「みんなで翻刻(10)」は、この「古文書サークル」をウェブ上で実現したものである。

参加者は自分が翻刻したい古文書を選択すると、パソコンの画面上にそのページが表示されるので、これを解読してウェブに記入する仕組みになっている。わからない崩し字が出てきたときは、AIによるサポートが用意されている。

こうして、数千人の人が、ほんの少しずつでも参加して翻刻することにより、大量の翻刻を短時間で実現することができた。二〇二一年五月二五日には翻刻した総字数が一〇〇〇万字を超えたとのことである。ウェブの特徴を生かした、いわゆるクラウド・ソーシングの成功例である（なおこのクラウドはクラウド・コンピューティングのcloudではなく、クラウド・ファンディングのcrowdである）。図4―34は「厄病除鬼面蟹寫真」という国文学研究資料館にある資料（右）を翻刻したもの（左）である。

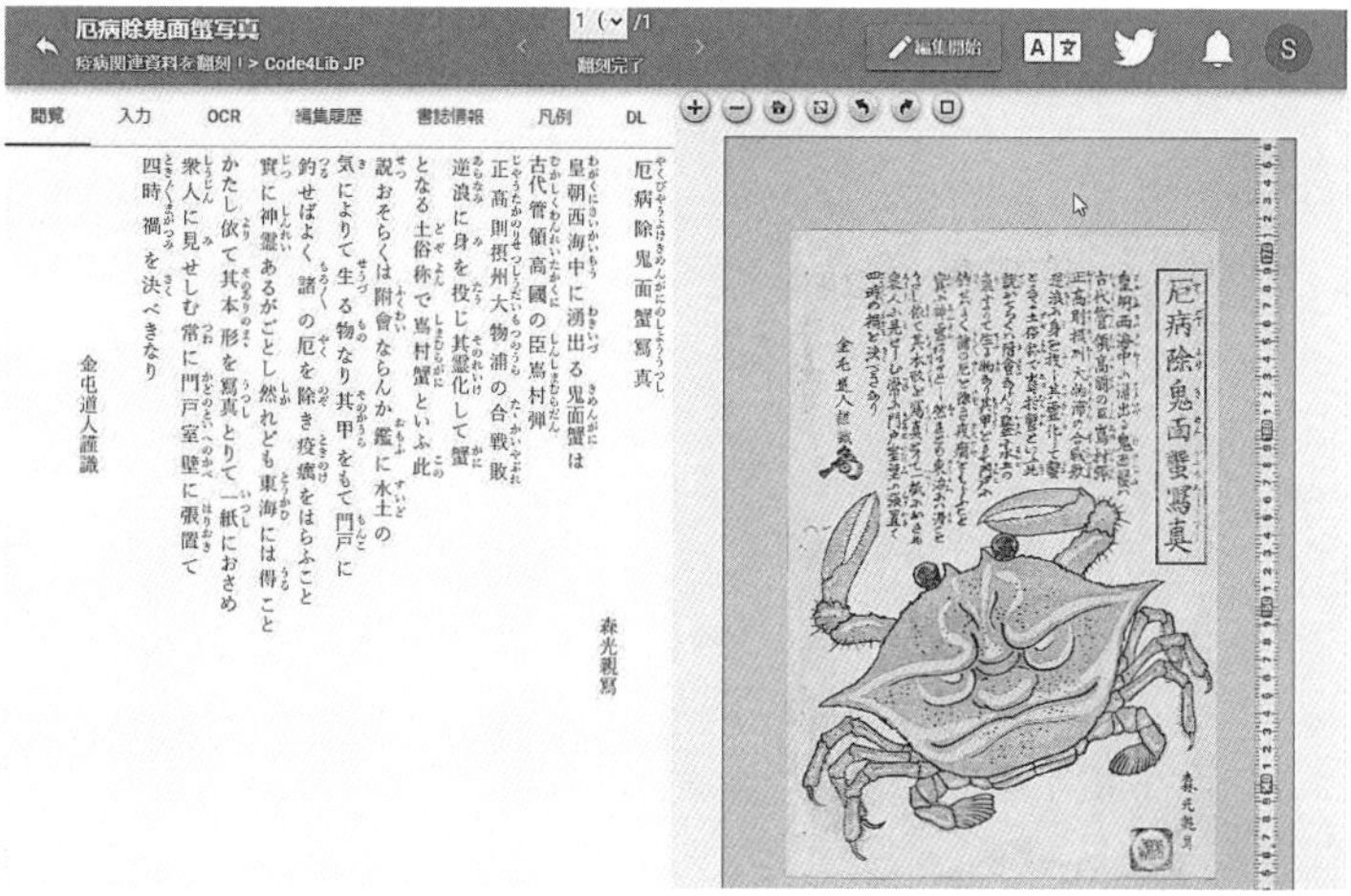

図4-34　「みんなで翻刻」の作業画面。右に翻刻する対象の文書、左が翻刻したテキスト

「みんなで翻刻」は「京都大学古地震研究会」から生まれた。科学の研究といえば実験が中心というイメージがあるが、実験のできない科学分野もある。地震研究はそのひとつで、地震を実験してみることは、大変限定的にしかできない。特に過去の地震を研究することは調査によってもなかなか難しく、その体験を記述した昔の文献に頼ることも多い。「京都大学古地震研究会」では、地震学、気象学、日本史、地理学、科学史、情報学、図書館司書など多様な研究者が集まって、昔の地震を研究するために古文書の解読を行ってきた。この作業をクラウドでやってみようということで、二〇一一

年に「みんなで翻刻」を立ち上げたのである。最初に選んだのは、東京大学地震研究所の図書室にある「石本文庫」というコレクションであるが、これは同研究所二代目所長の石本巳四雄氏が収集したもので、史料一一四点、画像三一九三枚であった。これをわずか五ヵ月弱で翻刻することができた。

その後、地震研究所の資料は二〇一九年三月までにすべて翻刻完了し、今では地震に限らず、全国の図書館に所蔵するさまざまな古文書の翻刻も進めている。

翻刻の対象資料を閲覧するには、IIIFというデジタルアーカイブの国際標準を用い、この標準に対応しているコレクションであれば、手元になくても「みんなで翻刻」で読み込んで、翻刻することができるようになっている。IIIFを使うことにより海外のコレクションの翻刻もできるようになった。

現在では、「みんなで翻刻」の対象は地震資料だけでなく、江戸時代の料理本や絵草子などにも広がっている。

最近崩し字の解読にAIを用いるツールが出現した。

ひとつは人文学オープンデータ共同利用センターのカラーヌワット・タリン氏らが開発した「みを（miwo）」(11)、もうひとつは凸版印刷が開発した「ふみのはゼミ」(12)で、どちらもスマートフォンやタブレットにアプリをダウンロードして起動し、書物に書かれた崩し字を撮影すると、画面

図4-35　みを

図4-36　ふみのはゼミ

の崩し字の上や脇に解読したテキストが表示されるというものである（図4―35、図4―36）。一〇〇%正確なわけではないが、学生や一般人が内容を理解するには十分である。

また、国立国会図書館の「次世代デジタルライブラリー」が二〇二二年一一月一日より古典籍資料にも拡大された(13)。ということは、同館に所蔵されている崩し字の古典籍（まず江戸期以前のくずし字資料等約六万点）がテキスト検索できるということで、古典籍の調査・検索に強力な武器となることが期待される。

参考書籍

庭田杏珠・渡邉英徳共著『AIとカラー化した写真でよみがえる戦前・戦争』光文社，二〇二〇―〇七―一五，四七二．

注

（1）東京大学「三Dマップで可視化されるウクライナの被害 位置情報が加えられた写真の〝束〟が伝える大切なこと」二〇二二―〇四―〇一．https://www.u-tokyo.ac.jp/focus/ja/features/z1304_00151.html（参照 二〇二二―〇二―二八）．

（2）「みんなの首里城デジタル復元プロジェクト」https://www.our-shurijo.org/（参照 二〇二二―〇八―〇九）．

（3）山と建築と小淵沢便り．グレートトラバースの撮影スタッフたち．https://amanojakus.exblog.jp/27542194/（参照 二〇二二―〇二―二八）．

（4）Merriam-Webster. Drones Are Everywhere Now. But How Did They Get Their Name? https://www.merriam-webster.com/words-at-play/how-did-drones-get-their-name#:~:text=These%20radio%2Dcontrolled%20aircraft%20were,inspiration%20for%20applying%20the%20term%3F（参照 二〇二二―〇八―二〇）

（5）林知代「輪中に関する地域資料のデジタルアーカイブ化」アーカイブ Data Report. 2020-07-06, No. 19. https://gijodai.jp/jyouhou/info/file/20200706ArchiveDataReport_NO.19.pdf（参照 二〇二二―

〇二一—二八).

(6) 国際日本文化研究センター「吉田初三郎式鳥瞰図データベース」使い方ガイド. https://iiif.nichibun.ac.jp/YSD/guide/usage.html (参照 二〇二二—〇八—〇六).

(7) 次世代デジタルライブラリー. https://lab.ndl.go.jp/dl/ (参照 二〇二三—〇一—二五).

(8) World War II Database. https://ww2db.com/image.php?image_id=3763 (参照 二〇二二—〇五—〇八).

(9) 小林美術科学「カラーでよみがえる東京」http://kobabi.com/fukugen/colortokyo/ (参照 二〇二一—〇八—二八).

(10) 「みんなで翻刻」https://honkoku.org/ (参照 二〇二二—〇五—〇八).

(11) 人文学オープンデータ共同利用センター「みを (miwo) とは?」http://codh.rois.ac.jp/miwo/about/#v1.1 (参照 二〇二三—〇一—二八).

(12) 「凸版印刷、AI-OCRで古文書を解読するスマホアプリを開発」https://www.toppan.co.jp/news/2022/09/newsrelease220913_1.html (参照 二〇二三—〇一—二八).

(13) 国立各界図書館「二〇二二年一一月一日「次世代デジタルライブラリー」の全文検索対象を古典籍資料にも拡大しました」https://www.ndl.go.jp/jp/news/fy2022/221101_01.html (参照 二〇二三—〇一—二八).

第5章　デジタルアーカイブは生きている

5―1　デジタルアーカイブの学術・教育での活用

(1) ジャパンサーチの活用

東京大学大学院の大井将生氏は、自身の高等学校教諭としての経験を活かし、教室でのジャパンサーチの活用を実践している(1)〜(4)（図5―1）。

ジャパンサーチには「ワークスペース」という機能があり、利用者がジャパンサーチのコンテンツを選んで自分だけのギャラリーを作成することができる。大井氏はこれを「協働キュレーション機能」と呼んでいるが、これを活用して児童生徒があるテーマについて「自分で課題を立て、情報を集め、整理・分析して、まとめ・表現する」ことができるとしている。

大井氏は次のようなサイクルで学習を進めている。

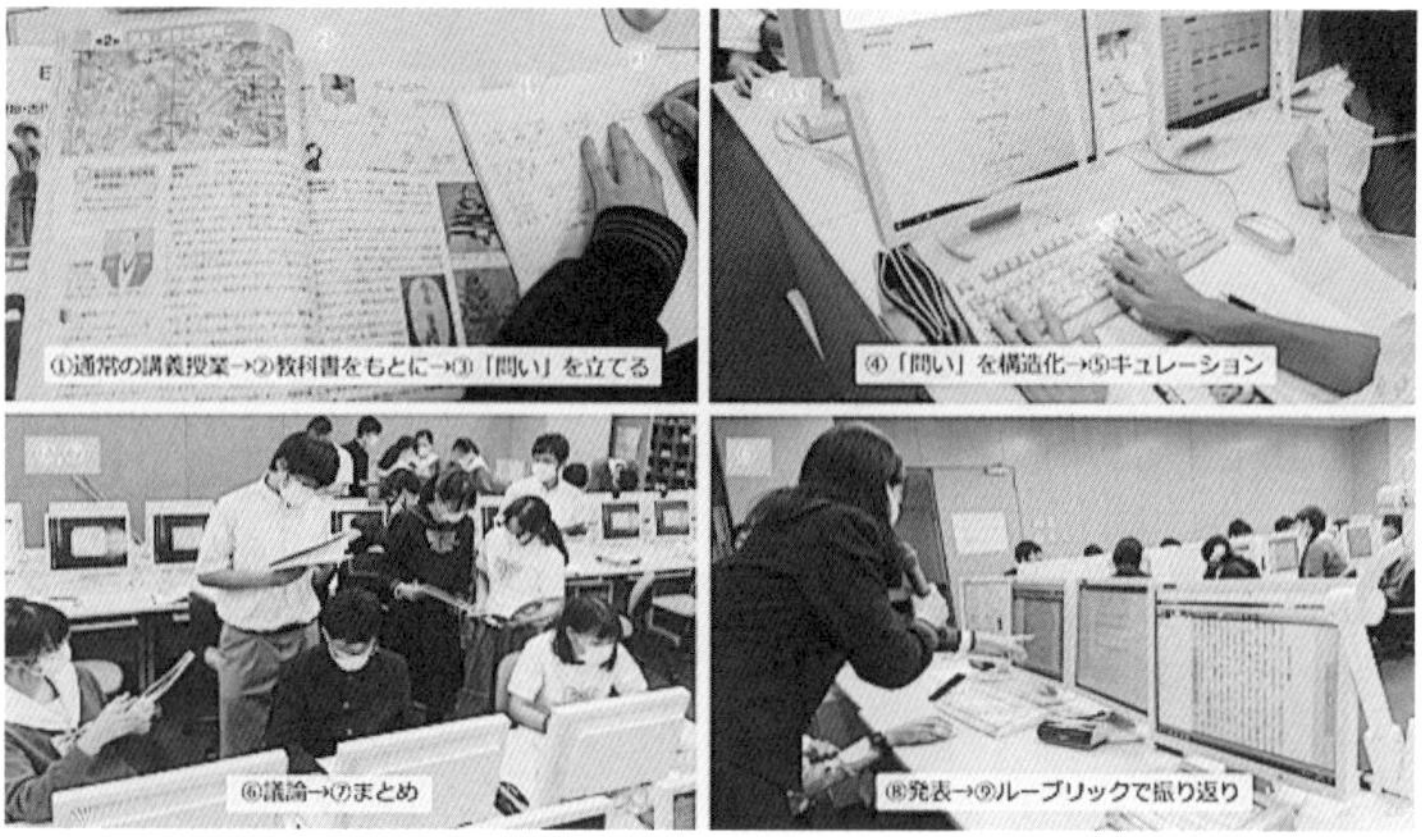

図5-1　ジャパンサーチを使った学習の様子[4)]

①：講義型授業（実践校担当教諭が担当）

②：講義及び教科書をもとに各自の「問い」を立てる

③：各自の「問い」を元に班で議論し、キュレーションの方向性を決める

④：「ワークスペース機能」を活用して協働キュレーションを行う

⑤：キュレーション作品をもとに、班ごとに発表活動を行う

⑥：ルーブリック（学習到達度を示す評価表）を活用し、振り返り学習・自己評価を行う

⑦：①にもどる

実例では、ジャパンサーチにある幕末の開港図（図5―2）を生徒が見て自ら問いを立てている。例えば、図5―2の中央に見える「三二」のマーク

は何かという問いを立て、児童自身がジャパンサーチを活用して探究した結果、これが越後屋、後の三越であることを自ら突き止めている。さらには、別の班の生徒が、「三越」について調べたところ、同じくジャパンサーチにある「写真原板データベース」から戦後最初のファッションショーが三越で行われたことを発見している（図5―3）。

　このように、ジャパンサーチの多様なコンテンツをもとに児童生徒が自ら探索することが可能となっている。ジャパンサーチの探索は、通常のウェブ検索と異なり、文化や知識に特化した、信頼できるコンテンツが検索できることから、フェイクや独断的な内容を避けることができることも特筆すべきであろう。

　なおジャパンサーチには、あらかじめ用意されたギャラリーが四〇〇件以上あり、こ

図5-2　ジャパンサーチ検索結果「神奈川横浜新開港図」(上)とその部分（下）(https: //jpsearch.go.jp/item/ arc_nishikie-MET_DP 147960)

図5-3　ジャパンサーチ検索結果「衣装総額五百万円の三越ファッションショー」(https://jpsearch.go.jp/item/photo-00002_00340_0001)

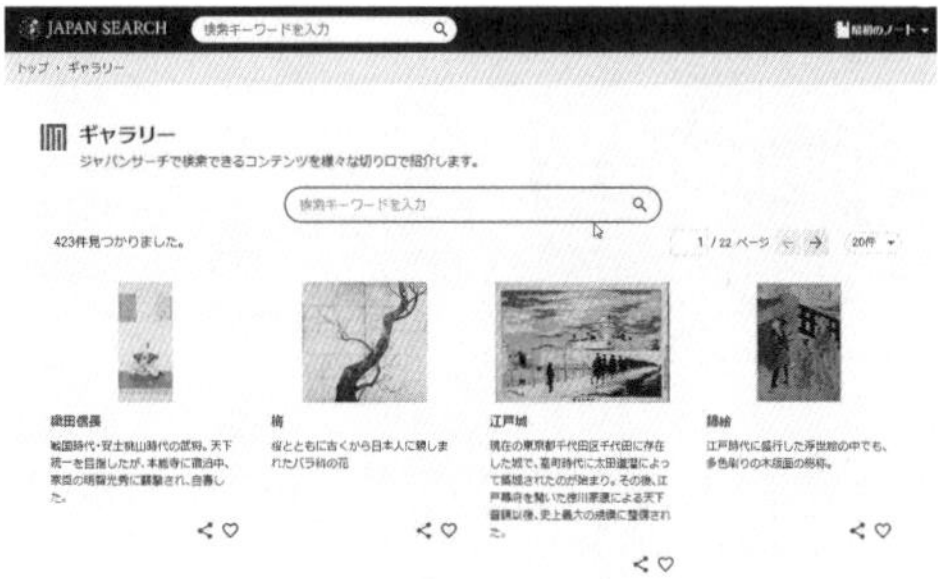

図5-4　ジャパンサーチのギャラリー

れを授業で活用すれば、容易にあるテーマについて知識を得ることができる（図5―4）。

（2）GIGAスクール構想

文部科学省は、「Society 5.0 時代に生きる子供たちにとって、PC 端末は鉛筆やノートと並ぶマストアイテムです。今や、仕事でも家庭でも、社会のあらゆる場所で ICTの活用が日常のものとなっています。社会を生き抜く力を育み、子供たちの可能性を広げる場所である学校が、時代に取り残され、世界からも遅れたままではいられません。[5]」として、GIGAスクール構想を推進している。

GIGAスクール構想では生徒一人に一台の端末を配って授業をICT化するとしている。プログラミングやデジタル教科書に並んで、重視されているのが、ウェブでの課題調査や資料調査であるが、問題は何を調査するかである。先生が生徒に適当にGoogle検索させると、誰が書いたかわからないブログや、歴史修正主義的なYouTube動画にたどりつく恐れがある。またウィキペディアのテキストをコピペしてレポートにするといった危惧もある。

この時信頼できるコンテンツを提供するのが、新聞と前述のジャパンサーチだということができる。また、教育用に特別に作成された素材もあるので紹介しよう。

図5-5　NHK for Schoolのトップ画面

（3）ＮＨＫの教育用素材

もともと教育用に作成された素材をウェブで提供しているものである。

（a）NHK for School

NHK for School[6]はＮＨＫの学校向け放送番組等をネット配信しているもので、以前は「ＮＨＫデジタル教材」と呼ばれた（図5―5）。ここでは番組全体だけでなく、そこで用いられているデジタル素材（クリップ）も合わせて提供されているところに特徴がある。『NHK for School利用ガイド2014』によれば、約五〇〇〇件の動画クリップを提供しているとされている（二〇一五、二〇一六年のガイドには数字が記載されていない）。この教材は極めてよく利用されており、二〇一三年度には小学校教師の三八％が利用していると報告されている。[7]利用研究も多数報告されている。

(b) NHKクリエイティブ・ライブラリー

NHKクリエイティブ・ライブラリーは、NHKのニュースやNHKアーカイブスなどの番組から切り出した素材約五〇〇〇本が収録されており、ダウンロードして自由に利用できる。内容はNHK for Schoolの素材と重複していると考えられる。利用条件は、(1) 営利・政治目的での利用の禁止、(2) 著作者名の表示、(3) 名誉・声望を害する利用の禁止、(4) 組み合わせる他の素材について著作権侵害の禁止、(5) 不法行為の禁止、(6) 利用規約の継承、などである。

(c) NHK高校講座

NHK高校講座はEテレ、NHKラジオ第2放送で放送された番組をビデオクリップまたは録音で公開している。

(4) 科学映像館

別の章でも紹介したが、科学映像館は過

図5-6　科学映像館、『宝石サンゴ　科学調査の現場から』

備考	URL
閉鎖	https://web.archive.org/web/20160316071657/https://www.ipa.go.jp/jinzai/kyoiku/index.html
FLASH動画は閲覧できない	https://rika-net.com/
	https://www.smt.jp/library/teaching/archives/
	https://www.city.sapporo.jp/kyoiku/sodan/sityoukaku/index.html
修学旅行用のパンフレットとして作成、QRコードから画像や動画にアクセス	http://dac.gijodai.ac.jp/ohrai/
ニュース映画(埼玉ニュース)、その他の映像	https://www.eizou.pref.saitama.lg.jp/library/OnTof01
教科学習用、多言語の教材も	https://www.youtube.com/channel/UCbFgl-Qeb-ytfZY0VvlBraQ

去に製作された科学映画や産業映画一二〇〇本近く（二〇二一年八月現在）をデジタル化してオンライン提供しており、教育に役立つコンテンツが多数ある(8)（図5―6）。

（5）その他の教育素材

その他授業に使える素材サイト（動画中心）を表5―1に紹介する。

（6）課題

教育用コンテンツは作成に費用がかかるが、陳腐化も速く、継続的な財政支援がないと作成が難しい。それを前提として、

表5-1　教育用素材の例

名称	作成者	コンテンツ
教育用画像素材集	独立行政法人情報処理推進機構（IPA）	動画5,200点
理科ネットワーク	国立教育政策研究所	137本の動画と50,000点の素材
せんだい教材映像アーカイブ	せんだいメディアテーク	400本以上の動画
札幌市視聴覚センター　デジタルアーカイブス	札幌市視聴覚センター	
沖縄修学旅行おぅらいデジタル・アーカイブ	岐阜女子大学デジタルミュージアム	
彩の国デジタルアーカイブ	埼玉県	4,000点の動画
京都教育大学公式YouTube kyokyochannel	京都教育大学	2,000点の動画

（a）旧岩波映画のように内容がしっかりしていて、長期の視聴に耐えられるコンテンツの製作を公的に支援する。

（b）テレビ局が作成する教育に有用なコンテンツをアーカイブして教育用に無料配信する。

ということが望まれる。そのような観点から前述（第3章3—2）の大高氏の提言は興味深い。

5—2　ウィキペディアと市民アーカイブ

（1）デジタルアーカイブとウィキペディア

ウィキペディアの世話になっていない人はほとんどいないだろう。ＰＣでもスマホでも、何かことばや事件を調べるときは、ついついウィキペディアに頼ってしまう。大学の先生方でも、講義の準備の中で、ウィキペディアを参考にしている人は多いのではないか。

このように誰でも知っているウィキペディアであるが、それがどんなものであるか知っている人は意外と少ないように思う。「便利だから使っているけど、誰が書いているのか不思議だった」と学生もいっている。

ではウィキペディアとは何か[9]。

図5-7　来日したジミー・ウェールズ氏と筆者(2007年3月)

(1)ウィキペディアはボランティアが作っている百科事典である。
(2)ウィキペディアの記事は誰でも書けて、誰でも編集できる。何の資格もいらない。パスワードもいらない。
(3)ウィキペディアの記事の品質は、お互いのチェックだけで保たれている。
(4)ウィキペディアは寄付だけで運営されている。

ウィキペディアでは、他の人が書いた記事に加筆したり、勝手に直すこともできる。このような加筆と修正を経て、だんだん良い記事になっていく仕組みである。これまでの普通の百科事典の場合には、ある項目を、その分野の専門家がひとりで書くのが当たり前だったが、ウィキペディアはそれとは正反対の仕組みということができる。

このように、ウィキペディアはネット社会が生んだ、ある意味では理想的な協同作業の集合体である。確固とした組織もなく(サーバの運用組織はあるが)、何の権威にも頼っていない。

ウィキペディアの創始者は米国のジミー(ジンボ)・ウェールズ氏とされている(図5―7)。彼はインターネット上で無料で使える百科事典を作りたくて、ウィキというソフトウェアを使って二〇〇一年にウィキペディアを開始した。ウィキはウェブで使う「協同作業ソフトウェア」のひとつで、みんなで自由に文章を書き込んだり、修正できる仕組みを持っている。始めてから二週間くらいは、「とんでもない書き込みがあったり、荒らしが起きたりするのではないか」、と心配で夜もよく眠れなかったとウェールズ氏は述べている。しかし実際にはそんなことは全く起きず、記事数はたちまち一〇〇〇本を越え、急速に増えていったのである。二〇二一年九月現在のウィキペディアの記事数は、英語版で六四〇万件、日本語版で一三〇万件に及ぶ。ウィキペディアは明らかにデジタルアーカイブの一角ということができる。

（2）教室でウィキペディアを学ぶ

前述のように、ウィキペディアは必ずしも専門家ではない多数のボランティアが自分の知っている知識を整理して記述している。素人が書くので、誤りや不正確な記述がでてくる可能性があるが、これらは他のボランティアがどんどん修正していくので、全体として比較的正確な記述に落ち着いていくとされている。もちろん、大変専門的な項目や特殊な項目の場合、他の編集者の目が届かないため、誤った記述が放置されることもしばしばあるので注意が必要である。

とはいえ、一般市民はウィキペディアに頼ることが多いので、むしろ専門家が積極的に正しい項目を作っていこうという活動もある。

図5-8　愛知大学でのウィキペディア項目作成実習の様子（NHKのビデオ取材中の様子、筆者撮影）（2009年）

筆者もかって愛知大学で授業の一環としてウィキペディア項目の作成を指導したことがある(10)。この授業はNHKニュースウォッチで放映された（二〇〇九年一一月二五日）（図5―8）。学生は「おいでん祭（中津川市）」、「豊橋点字図書館」などの項目を自分で作成することでウィキペディアの仕組みを学ぶことができた。これらのページのほとんどはその後も補足されながら使われている。

（3）ウィキペディアタウン

一方、これを教室でなく地域で実施しているのがウィキペディアタウンである。和田竜の小説「のぼうの城」で知られている埼玉県行田市は江戸時代から今日まで足袋の製造で有名である。この足袋を保管しているのが「足袋蔵」とよばれる蔵で、行田市には主なものでも一八の蔵が現存している。この貴重な地域遺産のページをウィキペディアに作成しようというのが、このプロジェクトで、二〇二〇年一〇月に開催された（図5―9）(11)。コロナ禍下でもあり、参加者は埼玉県立進修館高等学校の生徒で、一般募集はしなかった。ウィキペディア管理者や図書館司書がリーダーとして蔵を見て歩き、さらに図書館の資料を調査して執筆を行った。

撮影した写真や動画はウィキメディア・コモンズに保存して共有できる。ウィキメディア・コモンズとはウィキペディアの姉妹サービスで、他人が自由に使用できる写真や動画を保存して公開するもので、市民がデジタルアーカイブを構築する際の長期保存庫として利用できる。この行

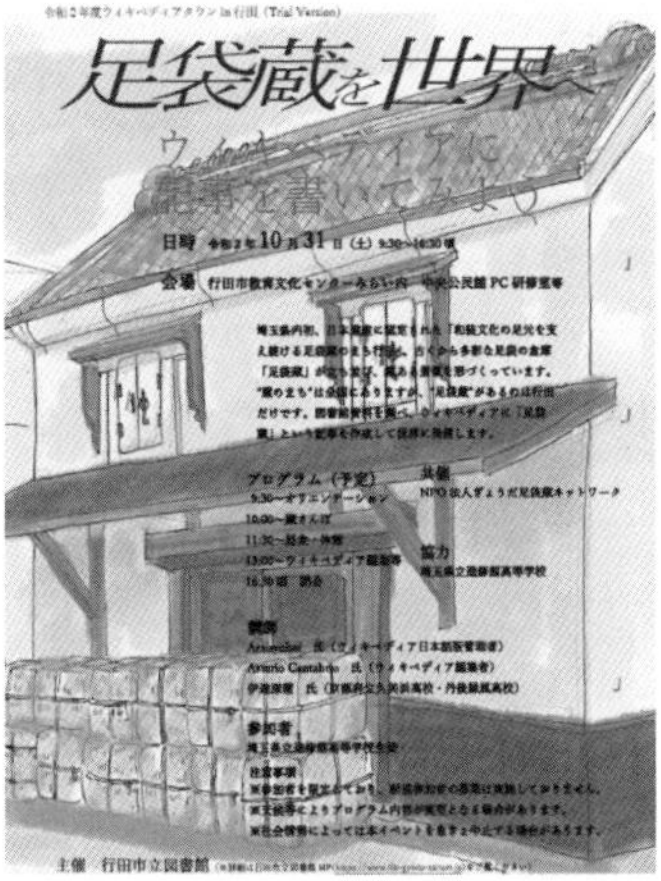

図5-9　ウィキペディアタウン埼玉県行田市「足袋蔵」の案内ビラとワークショップの様子

表5-2　ウィキペディアタウン2022年実績

開催日	名称	開催日	名称
2022/1/22	ウィキペディアタウン宇川vol.4「地域と学校」	2022/7/3	第2回毛原ウィキペディア勉強会
2022/1/23	ウィキペディアタウンin 阿南vol.3	2022/7/10	ウィキペディアタウン七尾 in やたごう
2022/2/6	ウィキペディアタウン山口	2022/7/24	第3回毛原ウィキペディア勉強会
2022/2/12	ウィキペディアタウンin 対馬	2022/9/10	ウィキペディアタウンin弥栄 和田野
2022/2/13	Ichikawaウィキペディアタウン デジタルで知ろう、知り合おう、市川の名所を再編集	2022/9/10, 11	地域の魅力を世界に発信！ ウィキペディアタウン@愛荘町
2022/2/20	ウィキペディアタウンin阿南vol.4	2022/9/17	ウィキペディアタウンinおたり村
2022/2/26	かまがや 初の ウィキペディアタウン	2022/9/26	みんなでまちの事典&地図を作ろう！ (UDC2022)
2022/2/26	WikipediaLIB@信州#04 ～ウィキペディアタウンのつくりかた～	2022/10//1	第4回ウィキペディアタウン@北杜
2022/2/27	ウィキペディアタウンin 日野	2022/10/1	ウィキペディアタウンin美浜
2022/3/21	ウィキペディアタウン幸田	2022/10/10	Wikipediaブンガク8川端康成
2022/5/5	Wikipediaブンガク7吉田健一	2022/10/15	ウィキペディアタウンin府中 勉強会
2022/5/21	ウィキペディアタウンin 周枳	2022/10/16	第4回毛原ウィキペディア勉強会
2022/6/5	第1回毛原ウィキペディア勉強会	2022/10/22	松岡城探検！！
2021/11/28他	イマリペディアン養成セミナー	2022/10/22	SAGAスマート街なかプロジェクト 第8回ワークショップ
2022/3/5	オープンデータデイ2022 in Kurume「Wikipedia town in くるめ」	2022/10/23	ウィキペディアにゃウンvol.5 峯山京極氏
2022/3/21	ウィキペディアタウン幸田	2022/10/29	ウィキペディア実験室（ラボ）in東久留米
2022/5/5	Wikipediaブンガク7吉田健一	2022/10/30	ウィキペディアタウンin日野
2022/5/21	ウィキペディアタウンin 周枳	2022/10/31	駅南ウィキペディアタウン
2022/6/5	第1回毛原ウィキペディア勉強会	2022/11/3	ウィキペディアタウン～歩く・調べる・書く 大土町
2022/6/18	第1回ウィキペディアタウンすみだ	2022/11/13	オープンデータソン2022 in 津山
2022/6/25	探究学習×ウィキペディアタウン	2022/12/3	ウィキペディアタウンin弥栄 溝谷
		2022/12/3	第2回ウィキペディアタウンすみだ
		2022/12/4	2022-12-04 ウィキペディアタウン in 長浜

田の例では七四枚の写真を保存し、これらはギャラリーとしてウィキペディアのページで閲覧できる。

このように、ウィキペディア・タウンは、市町村あるいは地域において、自分たちのまわりの事物やイベントについてのウィキペディアの項目を新たに作成したり、既存の項目に情報を追加しようとするもので、二〇一二年に英国で最初に行われた。日本では二〇一三年二月二三日に、「インターナショナルオープンデータデイ」の日に、横浜市で「分科会 3」として開催されたのが最初とされている。新型コロナウィルス感染の拡大にともない、二〇二一年、二〇二二年の活動は制限されたと考えられるが、それでも表5―2のように各地で開催されている（二〇二三年一月現在）。なおウィキペディアタウンについては日下九八氏の実践報告がある[12]。

ウィキペディアタウンを実施すると、写真などのデータが収集でき、また図書館の協力を得ることでさまざまな資料が発掘される。地域のデジタルアーカイブに極めて適している。

5―3 デジタル人文学

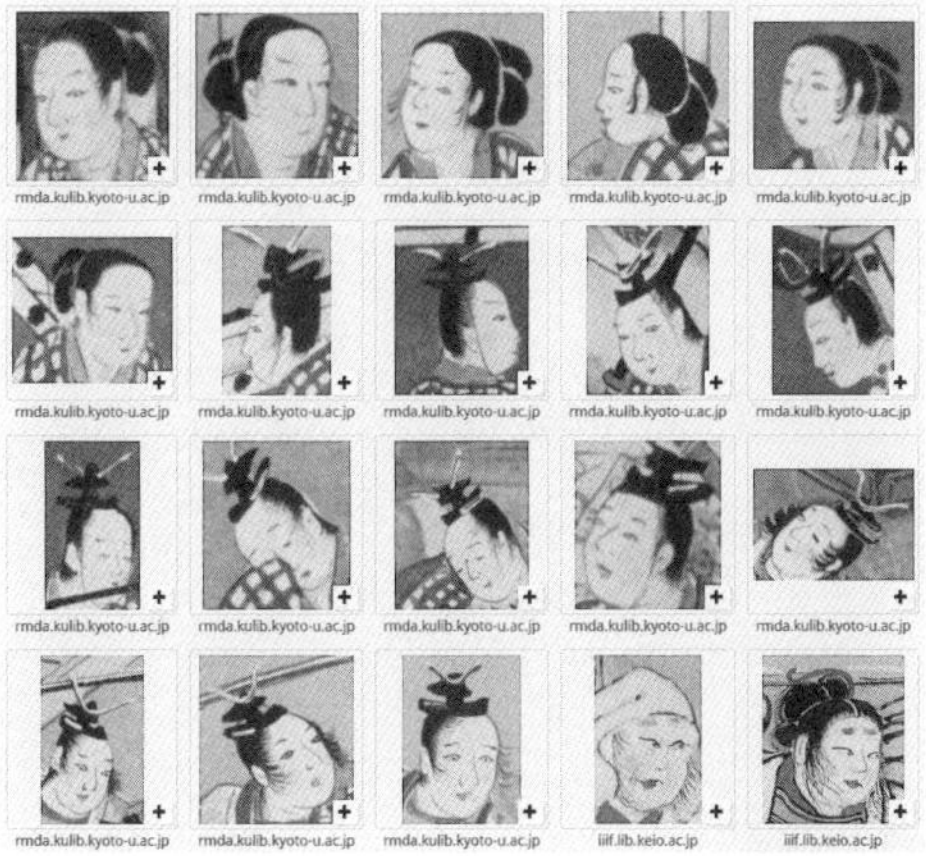

図5-10　人文学オープンデータ共同利用センター（CODH）の「顔貌コレクション」から「牛若丸」の顔貌の例

（1）顔コレ

北本朝展教授らが中心となっているROIS-DS人文学オープンデータ共同利用センター（CODH）は、人文学に関わるデジタルデータを作成、加工して、新しい観点に立つ人文学の展開を目指している。(13)その一つの試みが「顔貌コレクション（顔コレ）」と呼ばれるデータセットである（図5―10）。

「顔コレ」とは、IIIF Curation Platformというツールを用いて、日本の古い絵画に描かれた人物の顔を大量に切り取り、これをウェブ上で比較検討できるようにしたものである。たとえば図5―10はさまざまな絵巻物から収集した牛若丸の顔貌であるが、顔つき、衣装、被り物などの比較検討が可能である。

こうしたデータ収集が可能となるには、(1)元となる絵画画像が高解像度でデジタル化され、公開されて自由に利用できること(オープンデータ)、(2)それらオープンデータがIIIFという標準で公開されていること、が必要である。

「顔コレ」の場合は、絵巻物のIIIF対応画像から、人物の顔の部分だけを切り出し、自分の画面上で大きさをそろえて並べて整理している。したがって、「切り取って収集」と述べたが、物理的にどこかの場所に収集しているわけではなく、ウエブ上で仮想的に収集しているだけであることに注意が必要である。今まであれば、画像を紙に印刷し、ハサミで顔の部分を切り取って台紙に並べて貼り付けていたわけであるが、これがネット上で簡単にできることになった。この流れは図5―11のようになる。

ただし、顔を認識して切り取る作業にはやはり人手が必要で、さらに、その顔は誰の顔であるかという説明(メタデータ)を付けなくては役に立たない。CODHでは、顔認識をAIで半自動的に行うことも研究している。たとえば、Googleの機械学習研究者が、既存のAPIを活用し

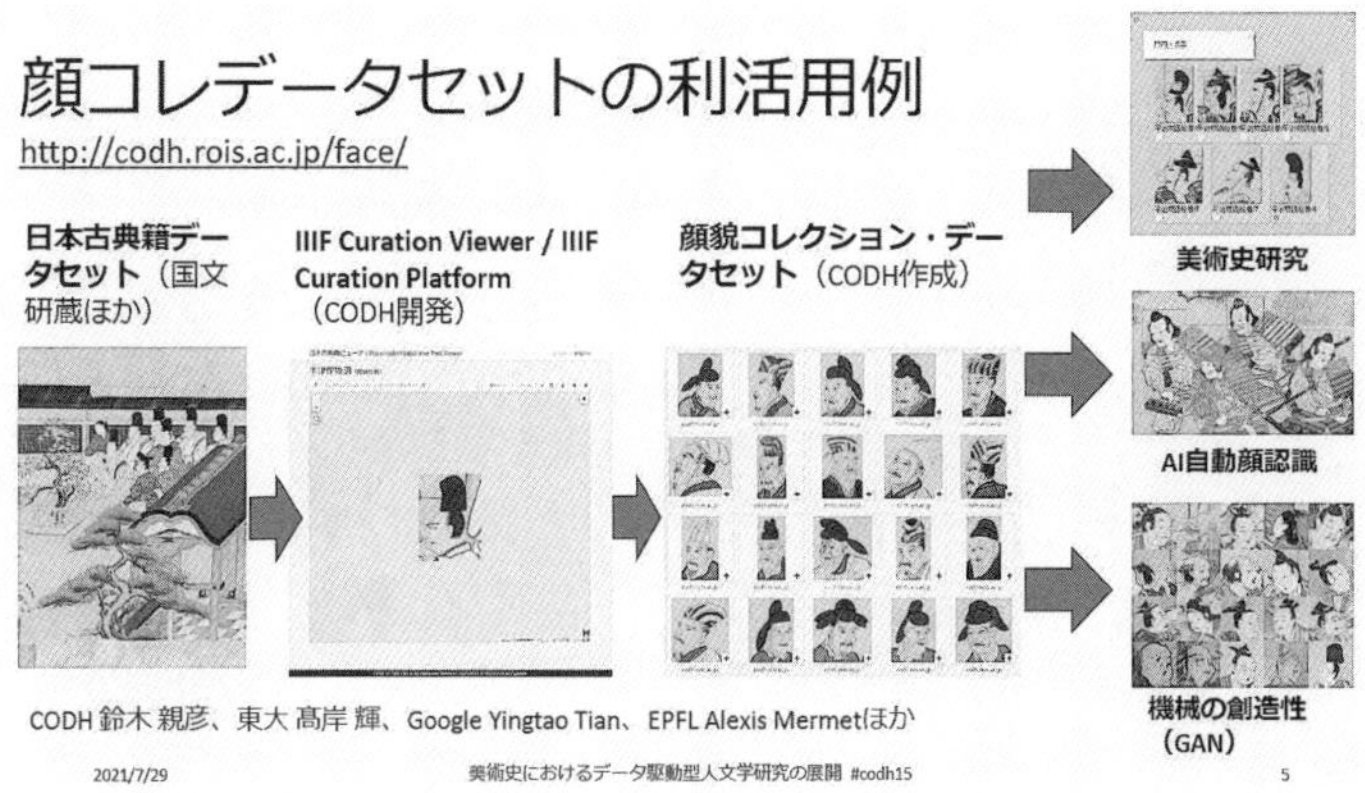

図5-11　「顔コレ」のデータ収集と活用の流れ[13)]

て顔を切り抜けることを発見し、その技術を活用して、立命館ＡＲＣが収集している浮世絵画像から、一万七〇〇〇件近い浮世絵の顔データセット（二〇二一年六月現在）を作成して公開している。

ＣＯＤＨでは、同じくIIIF Curation Platformを用いて、江戸の世界のビジュアル化を試みている。「江戸観光案内」は、「江戸時代に出版された観光ガイドブックである「名所案内」「名所記」「名所図会」の中から各世紀二点ずつ計六点を選び、IIIF Curation Platformを活用して挿絵を収集するとともに、名称やキーワードを付与することで、江戸を中心とする観光に関するビジュアルな名所挿絵データベースとして構築したものである（図５―12）。

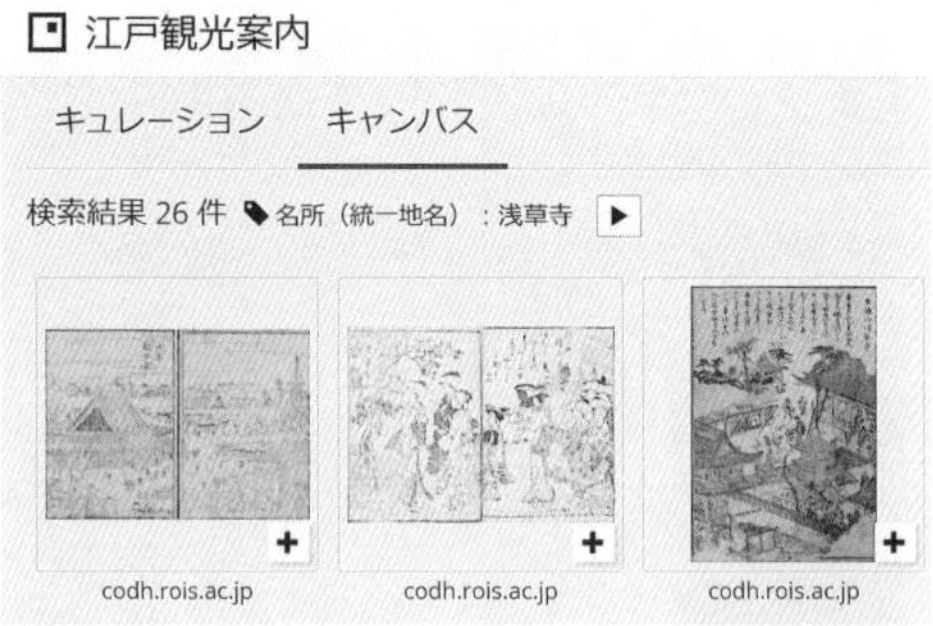

図5-12　江戸観光案内、「浅草寺」

（2）デジタル・ヒューマニティーズの薦め

歴史上の資産がデジタル化され、インターネット上でアクセスできるようになると、人文・社会科学において、新しい試みが可能になる。

たとえば、国文学研究資料館では、岩波書店と協力し、日本の古典文学の本文をデータベースとして開発し公開している[14]（図5―13）。これを使うと、たとえば「いとあはれ」ということばが伊勢物語のどこに使われたかを簡単に検索できる。

このように、デジタル・アーカイブはコンピュータの検索・分析能力を活用することにより、資料に新しい光を照らすことが可能である。

また、先に紹介した函館市中央図書館のデジタル・アーカイブを使うと、北海道松前藩の歴史文書をインターネット上で間近に見ることができ、必ずしも函館まで出かけなくとも詳しい調査が可能である。

これまで、人文・社会学の一部では、特定の研究者が資料へのアクセスを独占することにより、

大系本文（日本古典文学）データベース

作品一覧	作品横断検索	作品内検索

1 ～ 20 件目 (全: 402件)

>> 最後>>　1 2 3 4 5 6 7 8 9 10 11

No.	作品名	頁	行	本文
1	伊勢物語	121	161	を、おとこ、まことにむつましきことこそなかりけれ、今はと行くを、いとあ
2	伊勢物語	121	162	はれと思（ひ）けれど、貧しければ、するわざもなかりけり。思ひわびて、ねむ
3	伊勢物語	121	166	友だち、これを見て、いとあはれと思ひて、夜の物まで
4	伊勢物語	134	354	△△いとあはれ泣くぞ聞ゆるともし消ち消ゆる物とも我
5	伊勢物語	138	415	人の國へいきけるを、いとあはれと思ひて、別れにけり
6	大和物語	235	64	ければ、これもかれもいとあはれとおもひけり。さてよ
7	大和物語	235	72	△女いとあはれとおもひけり。
8	大和物語	242	176	て、いとあはれにてゐたまへりけるに、いとひさしくあ

図5-13　国文学研究資料館の日本古典文学データベース

他の研究者を排除して論文を書くということも見られたようだが、デジタル・アーカイブが広まることにより、アクセスの壁がなくなり、より広範な研究者により、多角的な研究が可能になると思われる。無論、紙の状態、墨や絵の具の研究など、実物を見ないとできない研究が残ることはいうまでもない。

このように、コンピュータやネットワークを活用した新しい学問分野をデジタル・ヒューマニティーズと呼ぶ。情報処理学会というコンピュータ系の学会の研究会のひとつに、「人文科学とコンピュータ研究会[15]」という会があるが、この研究会が中心となって毎年開かれている「人文科学とコンピュータシンポジウム」、略して「じんもんこん」では、この分野のさまざまな研究発表がある。

5—4　企業の知的資産をデジタルアーカイブに

(1) 企業活動を牽引するデジタルアーカイブ

テッド・ライアン氏はコカ・コーラ社においてマーケティングに活用する広告素材の管理・配信システム、テレビ広告のデジタル管理システム、広告全般のアーカイブ・システムなどを開発した(16)。有名なコカ・コーラのサンタクロースもここに収められている(図5—14)。

図5-14　コカ・コーラ社のアーカイブに保存されているサンドプロム作サンタクロースの画像[16]

このアーカイブは二万五〇〇〇件のテレビ広告、一万件のラジオ広告、一万件の印刷体広告を収容している。彼は次にフォード・モーター社に移り、新車デザイン資料のアーカイブに始まり、歴史的資産のデジタル管理システムを開発した。このアーカイブには現在二万五〇〇〇件の写真、三〇〇件のビデオ、一〇〇〇件のスキャン文書がある。このシステムを基礎にして一般ユーザが閲覧できるシステムの開発も進んでいる。

ライアン氏の活動が示すように、企業が保有するマーケティング資料や開発資料は貴重なアーカイブであり、これをデジタル化することにより、アーカイブの活用が大幅に促進されることを示した。

日本でも、ヤマハ発動機(17)、ライオン株式会社(18)など多くの会社で社内資料のデジタル化が進められている(19)。

（2）企業ブランド構築はデジタルアーカイブから

新宿ロフトは一九七六年一〇月にオープンしてからすべての公演スケジュールを復刻・公開した。残念ながらすべてのページが見られるわけではないが、出演者、イベント名で検索することができる（図5―15）。よくそんな昔の公演プログラムを保存していたと感心する。

また、英国の航空会社ブリティッシュ・エアウェイズは二〇一九年に一〇〇周年を迎えたが、記念に一〇〇周年ホームページを開設している（図5―16）。同社がBOACと呼ばれていた時代も含め、航空機体のみならず、王室との関りやその時代の制服など、多数の動画や写真を掲載しており、航空機ファンにはたまらないページである。

このように数十年前の情報や写真を後世に残し、自社の歩みや広告の歴史を年表としてまとめることで、企業のブランド形成に活用している。その他にも、資生堂や米国コカコーラ社などが著名な例である。同じく企業の歩みとして、画像や取り組みをアーカイブとして公開し、顧客とのエンゲージメントの強化に活用されている。

図5-15　新宿ロフトが復刻した公演スケジュール（1976年10月3日<オープンセレモニー> 鈴木慶一&ムーンライダース/南佳孝&ハーバーライツ/桑名正博&ゴーストタウンピープルの案内号）（https://web.archive.org/web/20210412135801/https://rooftop.cc/loftarchives/shinjuku/）

図5-16　ブリティシュ・エアウェイズの100周年記念ウェブページ（https://web.archive.org/web/20220213181738/https://www.britishairways.com/100/）

図5-17　玉川髙島屋50周年のデジタル・サイネージ作成の様子（https://www.youtube.com/watch?v=UJPCJEKHQNs）

（3）企業活動の歴史を大切にしよう

　東京都世田谷区にある玉川髙島屋ショッピング・センターが二〇一九年に五〇周年を迎えた。その際に地域やショッピング・センターの歴史を物語る写真をデジタル・サイネージで展示した。これを制作した担当者のビデオがYouTubeに公開されている（図5—17）。これを見ると単なる一商業施設のプロモーションではなく、親や祖父母の世代から続く地域、生活の一部として顧客の生活と密接な関係にあり、古い写真や資料の保存が地域の文化の一部として、企業価値を高めることに役立つことがよく分かる。

　最近ライオンの創業者小林富次郎氏の葬儀（一九一〇年）の映像がデジタル修復されて話題になった。企業の倉庫にはこうした古い映画フィルムや企業運動会のビデオなどが隠れていると思う。また昔の産業映画やテレビのコマーシャル・フィルムは保管状態が良くないとどんどん劣化が進み、二度と映写することができなくなる。こうした貴重な素材を大切にしたいものである。企業のさまざまなイベントや営業活動の記録は、一度捨てると後で手に入れるのは難しいので、企業はアーカイブの必要性について意識を高めることが重要である。

(4) 研究開発のデジタルアーカイブ

企業の研究開発報告書は、機密情報を含むため、外部に出ることはなく、管理が難しいもののひとつである。研究開発のテーマは頻繁に変わるが、過去の研究開発報告が新しい研究開発のヒントになることもある。報告書が紙資料であればスキャンしてデジタル化しておくことをお勧めする。さらにOCRにかければ全文検索ができるようになるので、「以前こんな研究をやったことはないか」という要求にも簡単に答えることができる。最近ではOCRの技術が発達し、AI活用による検索・二次利用による効率化や新たな研究への応用も期待される。

大企業では公開できる技術情報を「技報」として出版している。現在では紙での出版はほとんど行われておらず、オンラインで閲覧できる。[20]

(5) 熟練技術の継承

工場でのロボットの導入や生産の海外移行により、熟練技能者の技術が失われる傾向にある。こうした技術を保存・継承するのは、歴史的に意義があるだけでなく、次世代技術者への技術移

図5-18　国立研究開発法人科学技術振興機構サイエンスチャンネル『匠の息吹を伝える～“絶対”なき技術の伝承～（108）モノづくりは、人づくりから始まる～金属研摩加工 エムワン精工～』（https://scienceportal.jst.go.jp/gateway/sciencechannel/d080502108/）

転上重要である。このためには、単に紙の仕様書を残すだけでなく、動画に撮影したり、オーラル・ヒストリー（口述記録）することが役に立つ。熟練技術者が在籍しているうちに、そのようなデジタルアーカイブに取り組んでいただきたいと思う。国立研究開発法人科学技術振興機構では、『匠の息吹を伝える』という映画シリーズでこのような産業技術を記録した（図5―18）。最近個々の企業でもこのような取り組みが検討されている。

5―5　学術論文のアーカイブ

学術論文は、インターネットが始まった一九九〇年代半ばから電子化が始まり、現在では主要な学術雑誌はすべて電子ジャーナルとなっている。研究者は、もはや図書館で論文を調べるのではなく、机の上で、あるいはタブレット端末で論文を読んでいる。学術情報は他分野に比べ、最も整っており、最も商業的に成功しているデジタルアーカイブということができる。

過去に発行された学術雑誌も電子化して、同様に読めるようにしたいということになり、大きな出版社や学会出版社は、過去分をスキャンして電子化を行った。このスキャン作業は、労賃が安く英語ができるフィリピンやスリランカで行われたようである。その結果、今では世界の主要な学術雑誌は一九〇〇年代、あるいは一八〇〇年代の創刊号からネットで読めるようになっている。

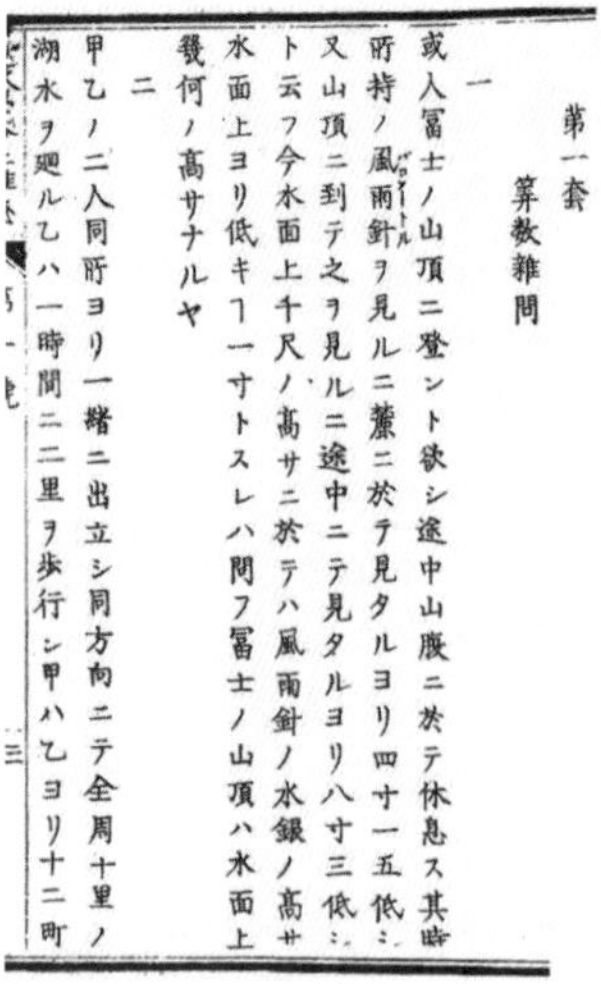

第一套

算数雜問

一

或人冨士ノ山頂ニ登ント欲シ途中山腹ニ於テ休息ス其時所持ノ風雨針《バロメートル》ヲ見ルニ麓ニ於テ見タルヨリ四寸一五低シ又山頂ニ到テ之ヲ見ルニ途中ニテ見タルヨリ八寸三低シト云フ今水面上千尺ノ高サニ於テハ風雨針ノ水銀ノ高サ水面上ヨリ低キヿ一寸トスレハ問フ冨士ノ山頂ハ水面上幾何ノ高サナルヤ

二

甲乙ノ二人同所ヨリ一緒ニ出立シ同方向ニテ全周十里ノ湖水ヲ廻ル乙ハ一時間ニ二里ヲ歩行シ甲ハ乙ヨリ十二町

図5-19　「東京數學會社雜誌」創刊号（1877年）

日本では、独立行政法人科学技術振興機構が中心となり、学術会議の協力を受けて過去分の電子化に取り組んだ[21]。二〇〇六年から公開が始まり、最終的に六四四雑誌、一四〇万論文が電子化され、J-STAGEという電子ジャーナルプラットフォームで無料公開されているので、誰でも読むことができる。

中には、日本最初の学術雑誌と言われる「東京數學會社雜誌」（一八七七年）などもある（図5―19）。

電子化にあたっては、著作権のクリアが重要である。最近では、多くの学会は、投稿に際して著者から著作権の譲渡を受けるようになっている。しかし過去にはそのような習慣はなかった。

Japan Society for Bioscience, Biotechnology, and Agrochemistry　マイページログイン　Japanese | English

日本農芸化学会　生命　食糧　環境　サイト内検索

ホーム > 学会誌・出版物 > 「化学と生物」電子アーカイブ化に伴う著作権委譲に関する告知（お願い）

「化学と生物」電子アーカイブ化に伴う著作権委譲に関する告知（お願い）

会員ならびに著者各位

日本農芸化学会（以下「本会」という）は、1962年の創刊以来、「化学と生物」を刊行して参りました。46年の長きに渡り「化学と生物」を刊行できましたことは、ひとえに会員各位のご支援、ご協力の賜物と深く感謝申し上げます。

この度、本会は科学技術振興機構の電子アーカイブ対象選定委員会によって、本会の「化学と生物」が創刊号以降を電子化してアーカイブされる対象誌として選定されました。この電子アーカイブとは、誌面を電子データ化し、同機構インターネットウェブサイト上で公開することをいいます。これにあたっては、電子化された論文はすべてが同機構のサーバに保存されるため、著作権が本会に帰属していることが条件となります。

「化学と生物」の電子アーカイブ化にあたっては、著作権法により、掲載された論文などの著者からその著作権（複製権、公衆送信権を含む）の許諾又は譲渡を必要とします。

本会発行の「日本農芸化学会誌」および「Bioscience, Biotechnology, and Biochemistry」は投稿規定に論文などの著作権が本会に帰属することが定められておりますが、「化学と生物」に関しましては、著作権の委譲が明確にされていない状態となっておりました。

これらの事情から本電子アーカイブ化を進めるにあたり、創刊号以来の著作についても著作権は本会に帰属していただくことといたしたく、ここに著作権の譲渡をお願い申し上げる次第です。

万一、この件に関しましてご了承いただけない場合、あるいはご不審の点がある場合は、2009年3月15日までに本会事務局に文書または電子メールでお申し出下さい。本会は、このお知らせが著者のみなさまの目に触れることを前提としておりますが、何らかの事情でこの件をお知りになる機会がなかった場合には、期限を過ぎましても、あらためて個別にご相談させていただく所存です。なお、お申し出のない場合には、ご了承いただけたものとし、電子アーカイブとして公開する時期がまいりました段階で、論文を掲載させていただきたいと存じます。

図5-20　過去の学術雑誌電子化の際の著作権譲渡告知

そこで、各学会のホームページに会告を掲載し、過去の論文についても著作権を学会に委譲してもらうこととし、申し出のない限り了承されたものとみなす（オプトアウト）、という便法を取った（図5—20）。学術論文の場合、研究者にとっては公開されることこそ重要であるから、この方法で苦情はほぼなかったようである。

（1）学術雑誌の起こり

世界最初の学術雑誌は今から三五〇年近く前に英国で創刊されたPhilosophical Transactionsと、フランスで創刊されたJournal des scavansといわれている。Philosophical Transactionsは現在も英国王立協会から出版され、過去分もすべてデジタル化されて電子公開されている。この雑誌にはたとえば米国フィラデルフィアのベンジャミン・フランクリンが凧を揚げて雷が電気であることを示した実験についても紹介されている（図5—21）。

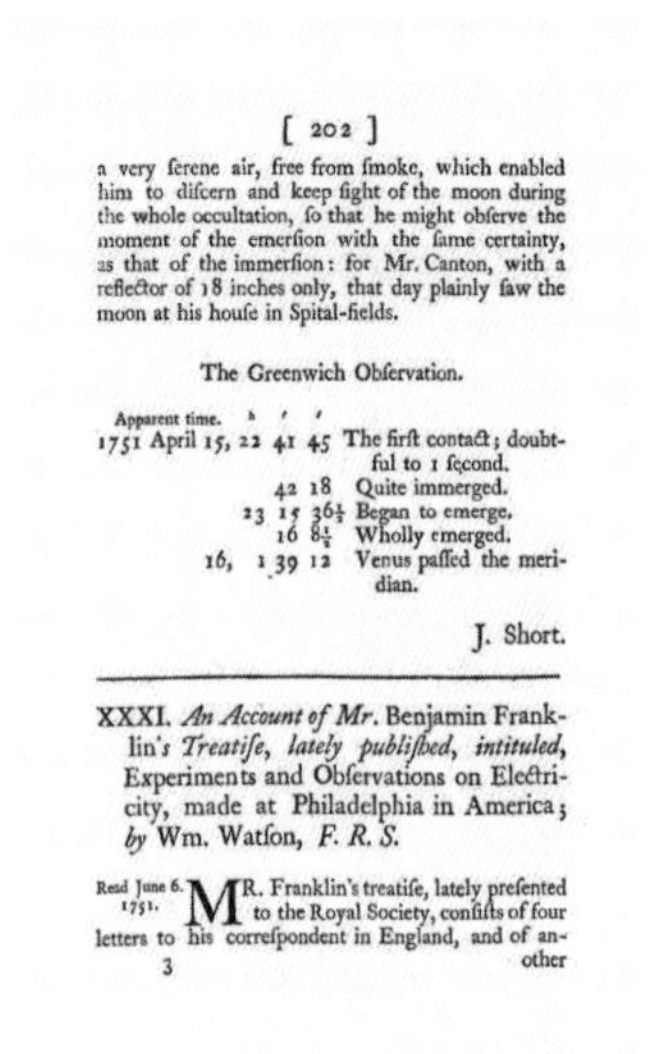

[202]

a very ſerene air, free from ſmoke, which enabled him to diſcern and keep ſight of the moon during the whole occultation, ſo that he might obſerve the moment of the emerſion with the ſame certainty, as that of the immerſion: for Mr. Canton, with a reflector of 18 inches only, that day plainly ſaw the moon at his houſe in Spital-fields.

The Greenwich Obſervation.

Apparent time. h ′ ″
1751 April 15, 22 41 45 The firſt contact; doubtful to 1 ſecond.
42 18 Quite immerged.
23 15 36½ Began to emerge.
16 8½ Wholly emerged.
16, 1 39 12 Venus paſſed the meridian.

J. Short.

XXXI. *An Account of Mr.* Benjamin Franklin's *Treatiſe, lately publiſhed, intituled,* Experiments and Obſervations on Electricity, made at Philadelphia in America; *by* Wm. Watſon, *F. R. S.*

Read June 6. 1751. MR. Franklin's treatiſe, lately preſented to the Royal Society, conſiſts of four letters to his correſpondent in England, and of another

3

図5-21　世界最初の学術雑誌といわれるPhilosophical Transactionsのページ、横線の下にBenjamin Franklinの実験の報告が記載されている

（2）電子ジャーナルの出現

学術雑誌は早くから電子化が試みられてきた。米国化学会の雑誌テキストの電子化はすでに一九七九年に行われ、図表も含めたページ画像のCD-ROMでの電子化提供は一九八四年に実現した。一九九〇年代広範にインターネットの普及が始まると、電子ジャーナルが出現した。最初の電子ジャーナルは、一九九四年にスタンフォード大学で公開されたJournal of Biological Chemistryであるといわれている（図5—22）。無料のサービスがほとんどであるウェブの世界で、最初に商業的に成功したのが電子ジャーナルということもできる。

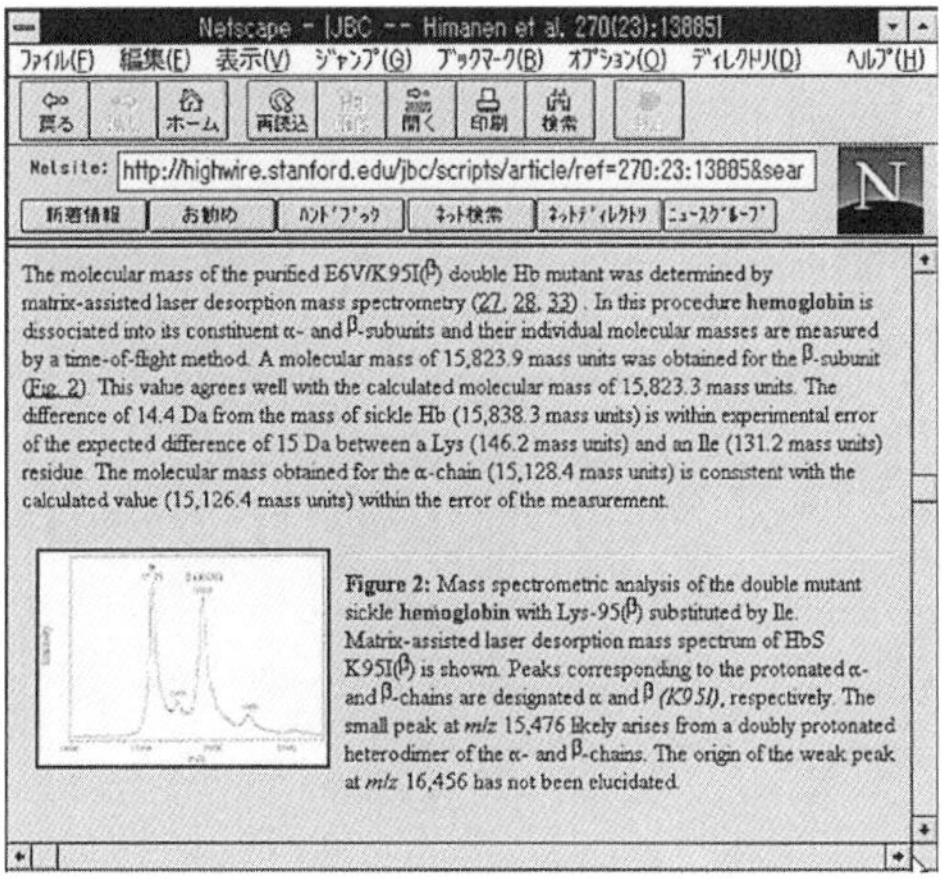

図5-22　最初のウェブ電子ジャーナルJournal of Biological Chemistry、当時のブラウザNetscapeで表示したところ（筆者がキャプチャ）

現在これら電子ジャーナルは、欧米のエルゼビア、シュプリンガー・ネーチャーなどの巨大出版社や米国化学会などの学会から提供されており、主要な雑誌については一八〇〇年代に遡って読むことができる。多くは有料で、大学は高額な購読料を支払う必要があるが、近年著者が出版費用を負担することで無料で提供されるオープンアクセス雑誌も増えてきている。

日本の本格的な電子ジャーナルは、二〇〇〇年に科学技術振興機構がサービス開始したJ-STAGEで、現在三四六六資料（雑誌）、五四〇〇万記事が登載されている。筆者が編集委員をつとめている「デジタルアーカイブ学会誌」もここに載っている。(22)

（3）学術情報デジタルアーカイブの特徴

学術情報のデジタルアーカイブとしての特徴は、記事のほとんどすべてに識別番号ＤＯＩ（Digital Object Identifier）[23]が付与されていることである。ＤＯＩの数を見ると、世界の学術情報数がわかることになるが、学術情報ＤＯＩの管理機関Crossrefの統計では、二〇二二年二月一七日現在一億三二九九万一四四七件となっている。ただしこれには日本の多くの文献は入っていない。日本の学術記事はＪａＬＣ（Japan Link Center）が管理するＤＯＩが付与されており、その数は二〇二二年一月末現在で九三五五万八五四五件となっているが、これには国立国会図書館が電子化した書籍も含まれているので、学術記事数はその八割、約七五〇万件とみられる。

さらに著者の多くには識別番号ORCID[24]が付与されており、これらにより誰がどんな論文を書いたかが簡単にわかる仕組みになっている。同姓同名の著者も正確に区別できる。

デジタルアーカイブにおいてもＤＯＩの活用が有効であることが提案されている[25]、[26]。英国では、ＵＫＲＩ（UK Research and Innovation）が国内の芸術品コレクションの統合ポータルの開発プログラムを開始したが、その中でＤＯＩの様な識別番号の利用について検討を始めている。

日本においても、国立国会図書館デジタルコレクション[27]（図5―23）、国文学研究資料館の「新

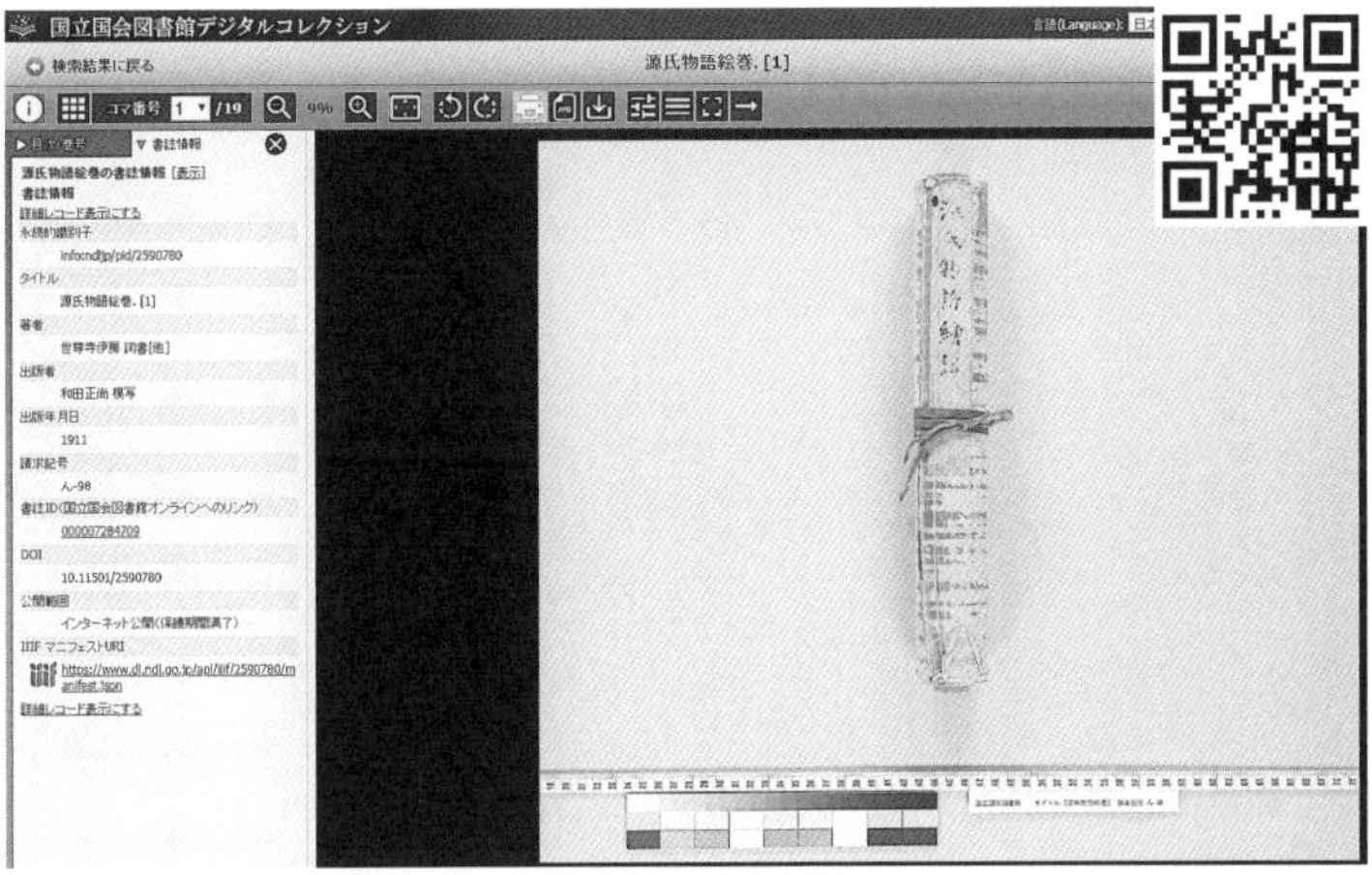

図5-23　国立国会図書館デジタルコレクションにおけるDOI付与の例

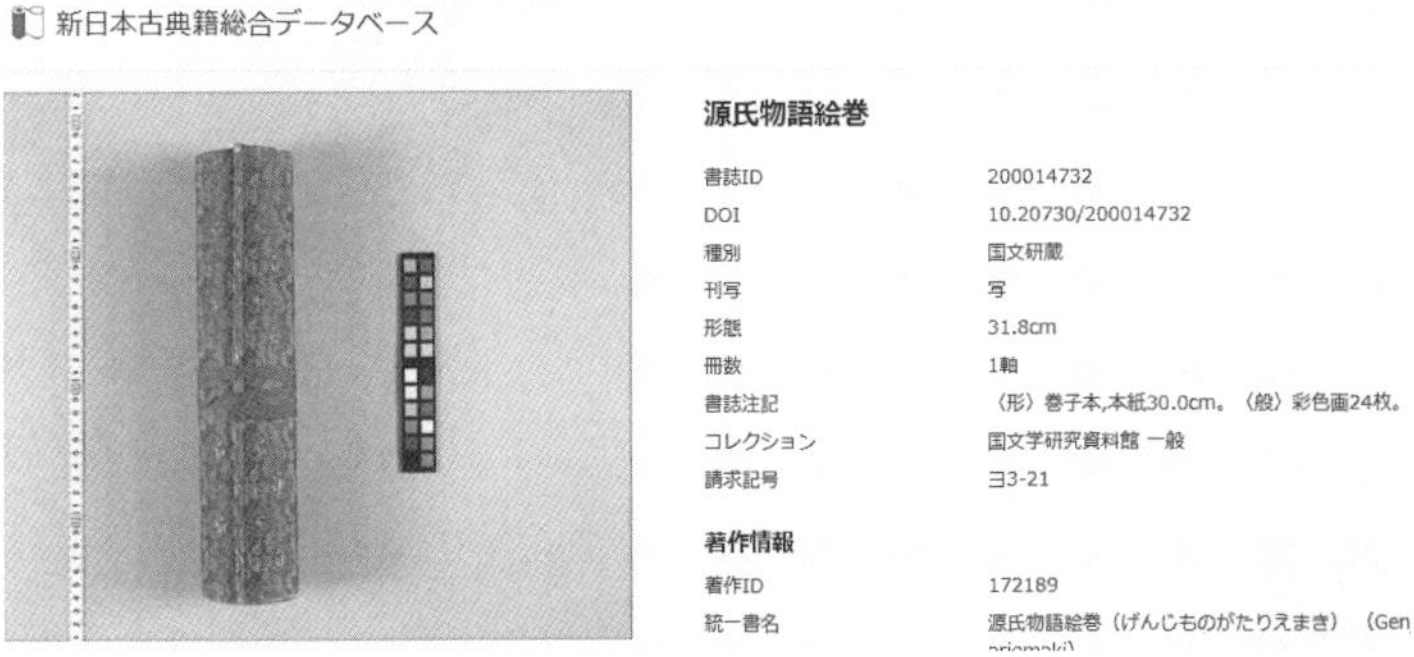

図5-24　国文学研究資料館の「新日本古典籍総合データベース」におけるDOI付与の例

日本古典籍総合データベース」(28)（図5―24）にはＤＯＩが付与されるようになった。これらＤＯＩを、研究者やＳＮＳなどで参照すれば、学術文献やＳＮＳなどでのコンテンツの活用状況が可視化される可能性がある。

しかし、多くのデジタルアーカイブ機関ではＤＯＩの付与はまだ検討にも上っていない。これらのコンテンツには、各提供機関において独自の識別番号が付与されているが、これらがシステムが更新された場合に継続的に使用される保証はないので、共通的・永続的な識別番号の利用が望まれる。

5—6　公文書

東日本大震災関連の一五政府会議のうち、一〇会議で議事録・概要が作られていなかった、と報じられた（日経新聞、二〇一二―〇一―二八）。未曾有の大災害に、政府がどう対処したかの記録がないことになる。政治学者の御厨元東大教授は、震災直後の菅《かん》直人首相官邸の様子を「会議をやっているのか、情報交換をしているのかわからないのですが、そういう状況の中で、ことがどんどん決められていく。（中略）そのような中で、どれほどのものが公文書としてその後も残っていっただろうか、というのは非常に気になるところなのです。」と述べている。(29) やむを得ない緊急避難的な事情もあったではあろうが、記録がないと検証することができず、教訓も得られない。

実は、日本では、二〇〇九年に「公文書管理法」が交付され、公文書を保存することの重要性が確認されたばかりのことである。

（1）公文書管理法

そもそも、「アーカイブ」ということばは、もともと公文書とその管理を示していた。よく知られているように、米国では公文書の保管と、将来の公開がよく制度化されている。

第三次佐藤内閣時代、米国ニクソン政権との沖縄返還協定の締結に際し、日本が総額一億八七〇〇万ドルを提供する密約を結んだ記録が、米国においては機密解除され、すでに公開されている。しかし、日本では、自民党内閣はずっとこの文書の存在を否定してきた。密約文書が存在したことは、元外務省の吉野文六氏が認めた結果、ようやく明らかになったが、文書そのものは、いまだに公開されていない。(30)

このような、公文書を大切にしない態度は、決して日本の伝統ではない、と松岡資明氏は述べている。松岡氏によれば、徳川家康が開いた紅葉山文庫は、将軍家の蔵書だけでなく、幕府文書の収蔵庫となっており、貴重な公文書を現代に残している。その伝統に学ばず、明治以降の近代国家建設の中で、アーカイブは軽視されてきたといえる。日本敗戦の直後、一九四五年八月一八日に、政府は「機密書類ノ償却ノ件」という通達を出しており、大量の政府・軍書類が焼却されたと見られている。(31)その後も一貫して、公文書の公開に後ろ向きな姿勢が続いてきた。

二〇〇七年に首相に就任した福田康夫氏は、（厚生省の薬害肝炎に関する文書秘匿にショックを受けたといわれているが）二〇〇八年一月の施政方針演説で文書管理の改善を表明し、上川陽子氏を公文書管理担当大臣に就任させた。その後、有識者会議の設置などを経て、翌二〇〇九年六月には「公文書等の管理に関する法律（公文書管理法）」が成立、七月に公布された。

この法律が画期的であったのは、

第八条　行政機関の長は、保存期間が満了した行政文書ファイル等について、第五条第五項の規定による定めに基づき、国立公文書館等に移管し、又は廃棄しなければならない。

と明記され、廃棄しない文書については国立公文書館（図5―25）への移管が義務付けられた点にある。かつ、廃棄するには内閣総理大臣の同意を得る必要があり、同意が得られない場合は、保存期間を延長しなくてはならない。なお、ここでいう「保存期間」とは、文書の種類によって異なるが、最長三

図5-25　国立公文書館

〇年である（公文書等の管理に関する法律施行令）。

一般に、公文書は、「情報公開法」によって公開の対象となる。また国立公文書館においては、所蔵する公文書は随時閲覧可能でコピーをとることも自由である。

ただし、歴史資料として重要な公文書は「歴史公文書等」と呼ばれるが、これらについては、作成部署が、公開についての意見を述べることができ、国立公文書館は、「時の経過を考慮し」、「意見を斟酌して」判断するとされている（以上松岡氏の著書より）。こうして、重要な公文書を勝手に焼却したり、存在しないものとすることはできなくなったはずである。

官公庁の資料でなく、民間の各種資料の保存は一層困難である。労働関係の資料を保存していることで知られている、大阪産業労働資料館（エル・ライブラリー）(32)は、二〇〇八年橋下徹知事（当時）により、年間二〇〇〇万円の補助が削られ、支援者の寄付と職員のがんばりで何とか継続している状態である。同館は二〇一六年にはLibrary of the Year 2016の優秀賞を受賞している。

近年は行政の業務を民間に丸投げすることが増えている。その場合は公文書の保存・公開の法律は適用されない。典型的なものが二〇二一年に開催された東京オリンピックである。この事業はオリンピック組織委員会が遂行したが、二〇二二年六月三〇日に組織委員会が解散した結果、大会経費一・四兆円の詳細を検証することは不可能となった（毎日新聞、二〇二二―〇七―〇七）。

前に述べたように、国立公文書館では、公開されている公文書は随時閲覧・複写ができる。公文書のデジタル化も進みつつある。公文書は、行政が説明責任を果たすという意味と同時に、日本の歴史を振り返る際の第一級の文書である。デジタル化によって、その利用が促進され、公文書公開の世論が一層盛り上がることが期待される。

また、行政文書ではないが、裁判記録も重要である。現在の裁判所の規定では、五年を過ぎると判決文以外は廃棄されることとなっており、問題である。平成四年（一九九二）には、最高裁判所が、それまで永久保存とされてきた民事判決原本を、判決確定から五〇年経過したものは廃棄することに決定した。こうして、昭和一八年（一九四三）末までの判決原本が破棄されることとなったことに対して、国立大学法学部教授らから見直しの要望が出され、とりあえず国立一〇大学に一時保管された。その後、国立公文書館との合意により、同館に移管する作業が進み、平成二三年三月四日までに完了した。(33) なお昭和一九年（一九四四）以降の民事判決原本については、最高裁判所から国立公文書館に直接移管されるようになったので、とりあえず、判決原本の廃棄問題は解決した。

二〇二二年一〇月には少年事件や民事裁判などの記録約一〇〇件が各地の裁判所で破棄されていたことが報道された。中には「特別保存」に指定されるべき重大事件（たとえば犯人の少年が「酒鬼薔薇聖斗」と名乗っていたことで知られる「神戸連続児童殺傷事件」（一九九七年）など）の裁判記録も含まれており、大きな問題となった。これを受けて、最高裁判所では、一時的に裁判記録の破棄を停止している。

裁判所は公文書管理法の適用外である。歴史の保存という観点からは、全件を何らかの形で保存すべきであろう。

(2) 森友事件

安倍晋三元首相は、凶弾に倒れたが、決して忘れてはならないことは、首相時代に森友事件を引き起こし、結果として当時財務省近畿財務局職員であった赤木俊夫氏を自死に追いやったことである。これについては国は裁判で責任を認めた形で終結させ、裁判所で真相究明を求めていた妻雅子氏の前でドアを閉じてしまった。そもそもこの事件は、当時の安倍首相が、「私や妻が関係していたら、議員を辞める」(二〇一七年二月一七日予算委員会)と答弁したことに始まる。その結果、安倍昭恵夫人の関与を示す公文書の改ざんを財務省が開始し、命じられた赤木俊夫氏は抵抗したが、抵抗しきれず、ノイローゼとなって自殺したものである。担当した大阪地検特捜部が関係者全員不起訴としたことも、改ざんの詳細をめぐってあいまいな答弁を繰り返した関係者の多くが、最終的には昇進したことも、納得がいかない。

公文書の適切な作成と保管は国民がしっかりと政府を監視できるかどうかのかなめである。おりしもトランプ前大統領の自宅にＦＢＩが家宅捜索に入ったとの報道があった(BBC NEWS JAPAN.

2022-08-10)。トランプ氏がホワイトハウスから機密書類を持ち出したことに関連した捜索と伝えられている。公文書は民主主義の根幹をなすものであると感じる。

(3) 国土交通省統計改ざん

国土交通省は二〇二二年八月五日、不正処理のあった「建設工事受注動態統計」について、二重計上があった二〇一三年度以降の公表値を訂正した。過大計上額は一五年度と一六年度の五・二兆円が最大だったという(朝日新聞デジタル，二〇二二—〇六—〇九)。この統計では、元のデータが紙の調査票とオンラインでの提出がある。朝日新聞によれば、「紙の調査票の書き換えは一三年度に始まった。国交省は遅れて提出された調査票の受注実績を最新月に合算するよう、調査票の回収を担う都道府県に指示。過去のデータを消しゴムで消し、無断で書き換えさせていた。二〇年一月には都道府県に作業をやめさせ、以降は二一年三月まで本省で書き換えていた」。消しゴムで消したのだから、原票は存在しないことになる。今回の訂正は、前後の年のデータから外挿するかたちで推定したに過ぎない。あきらかな公文書の改ざんである。電子データの書き換えまで行ったということでは、何を信頼してよいかわからない。

（4）戦争関連資料の保存

敗戦後七五年を過ぎ、戦争に係わる資料がどんどん失われつつある。朝日新聞二〇二一年八月一三日の坂田達郎記者の記事「戦争資料「データ保存を」ネットで売買されるケースも」は、戦後七六年を過ぎ、戦争の体験者がどんどん亡くなってしまう中で、個人が保有していた戦争関係の資料がどんどん失われていくことを伝えている。山形大学学術研究院講師（歴史民俗資料学）の阿部宇洋氏によれば、蔵が取り壊される際に捨てられたり、古本屋に流れることも珍しくないという。さらには千葉県では、戦没者名簿や遺族台帳のような貴重な戦時中の公文書五〇〇冊を廃棄していたことが報道された（毎日新聞．二〇一七―〇四―〇七）。

デジタルアーカイブ学会では戦争資料の散逸やデジタル化の遅れに危機感を抱き、二〇二〇年に「戦争関連資料に関する研究会」を立ち上げ、議論を始めた(34)。このプロジェクトでは、NHKと共同で全国の関連資料館へのアンケート調査を進めている。

国立長崎原爆死没者追悼平和祈念館では、「黒本」と呼ばれる七六冊からなる「被爆体験記集」を所蔵している。ここには五万五〇〇〇人の証言が収められている。現在は複製した紙の本が閲覧できるほか、企画展で公開した証言は同館のウェブページで読むことができる(35)。

また、広島平和記念資料館では、「被爆体験講話」として、三二一人の被爆者の証言ビデオを公

開している。(36)

（5）公文書を廃棄するひとたち

気象庁旧富士山測候所の職員が六八年間つけていた「カンテラ日誌」が廃棄されていた、との記事（毎日新聞．二〇一八―〇八―一〇）があった。

気象観測の記録のほか、眼下の空襲の様子など太平洋戦争も記録した貴重な資料が失われた。閲覧したことがある気象専門家らは「職員が見たまま感じたままを率直に記した第一級の歴史資料だった。機械的に捨てるなんて」と批判している。次は筆者が毎日新聞に投稿した意見記事である（毎日新聞．二〇一八―〇八―一九）。

何ともやりきれない気持ちだ。勤務中に記載した記録は、個人のものでなく公的なものだ。米国では高官の電子メールも公文書として取り扱うなど、公文書を広く解釈しているのに対して、日本では公文書をできるだけ狭くとらえようとしている。「モリカケ問題」で露呈した「記録を残さない」風潮である。

また、このような日誌は歴史上貴重だ。記録としての日記は「土佐日記」をはじめとして数多い。近世でも「幕末単身赴任　下級武士の食日記」が話題となったことは記憶に新しい。

特に富士山頂のような極限状況における日誌は、気象、生活、仕事などさまざまな視点から見ることができ、そのまま出版してもベストセラーとなるだろう。

このような、世界的にも貴重な資料を、外部の意見を聞くことなく廃棄するなど、日本の役人のレベルは地に落ちたと言わざるを得ないのではないか。

参考書籍

吉沢英明『Wikipediaウィキペディア完全活用ガイド』マックス、二〇〇六—一一—一一、九六.
ピエール アスリーヌ、他. 佐々木勉訳『ウィキペディア革命——そこで何が起きているのか？』岩波書店、二〇〇八—〇七—二五、一六七.
時実象一監修、久永一郎責任編集『新しい産業創造へ（デジタルアーカイブ・ベーシックス 五）』勉誠出版、二〇二一—〇五—二五、二三八.
人文情報学研究所監修『欧米圏デジタルヒューマニティーズの基礎知識』文学通信、二〇二一—〇七—二〇、四九五.
松岡資明『日本の公文書——開かれたアーカイブズが社会システムを支える』ポット出版、二〇一〇—〇一—二〇、一九四.

注

（1）大井将生・渡邉英徳「多面的・多角的な視座を育むデジタルアーカイブ活用授業の提案——ジャパンサーチの教育活用」『デジタルアーカイブ学会誌』二〇二〇、四（二）、二〇七—二一〇.

(2) 大井将生・渡邉英徳「ジャパンサーチを活用した小中高でのキュレーション授業デザイン——デジタルアーカイブの教育活用意義と可能性」『デジタルアーカイブ学会誌』二〇二〇，四(四)，三五二—三五九.

(3) 大井将生・渡邉英徳「ジャパンサーチを活用したハイブリッド型キュレーション授業——遠隔教育の課題を解決するデジタルアーカイブの活用」『デジタルアーカイブ学会誌』二〇二〇，四(二)，六九—七二.

(4) 大井将生・渡邉英徳「ジャパンサーチのワークスペース機能を活用した協働キュレーション授業：「問い」と資料を接続するデジタルアーカイブの活用法」『デジタルアーカイブ学会誌』二〇二一，五(二)，六七—七〇.

(5) 「子供たち一人ひとりに個別最適化され、創造性を育む教育ＩＣＴ環境の実現に向けて～令和時代のスタンダードとしての一人一台端末環境～《文部科学大臣メッセージ》」. https://www.Mext.Go.jp/content/20191225-mxt_syoto01_000003278_03.pdf（参照二〇二二—〇六—一八）.

(6) 「NHK for School」. https://www.nhk.or.jp/school/（参照二〇二二—〇八—一〇）.

(7) 宇治橋祐之・小平さち子「メディア変革期にみる教師のメディア利用～二〇一三年度『ＮＨＫ小学校教師のメディア利用に関する調査』から～」ＮＨＫ放送文化研究所編『放送研究と調査』二〇一四年六月号.

(8) 科学映像館. http://www.kagakueizo.org/（参照二〇二二—〇八—一〇）.

(9) 時実象一「ウィキペディアと図書館」『韋編：愛知大学図書館報』二〇一四，(四〇)二一—三. https://aichiu.repo.nii.ac.jp/?action=repository_uri&item_id=3095&file_id=22&file_no=1（参照二〇二一—〇六—一九）.

（10）時実象一「ウィキペディア教育の経験」『情報知識学会誌』二〇二一，二三（二），一八五―一九二．
（11）Asturio Cantabrio.「令和2年度ウィキペディアタウンin行田（Trial Version）」に参加する．https://ayc.hatenablog.com/entry/2020/11/04/182115（参照二〇二二―〇六―二二）．
（12）日下九八「地域資料をアーカイブする手法としてのウィキペディアタウン、またはウィキペディアとウィキメディア・コモンズ」『デジタルアーカイブ学会誌』二〇一八，二（二），一二〇―一二三．
（13）北本朝展「美術史におけるデータ駆動型人文学研究の展開――IIIFやAIでどう変わるか？」第一五回CODHセミナー発表資料．https://doi.org/10.20676/00000395.
（14）国文学研究資料館「日本古典文学大系本文データベース」http://base1.nijl.ac.jp/~nkbthdb/（参照二〇二二―〇八―一三）．
（15）人文科学とコンピュータ研究会．http://www.jinmoncom.jp/（参照二〇二二―〇八―一二）．
（16）テッド・ライアン『デジタルアーカイブ学会誌』二〇二一，五（三），一七八―一八三．
（17）和田一美「ヤマハ発動機（株）のデジタルアーカイブ」『デジタルアーカイブ学会誌』二〇二一，五（三），一八四―一八七．
（18）松村伸彦「ライオン株式会社におけるアーカイブズのデジタル化の取り組み」『デジタルアーカイブ学会誌』二〇二一，五（三），一八八―一八二．
（19）肥田康「企業デジタルアーカイブの動向と可能性」『デジタルアーカイブ学会誌』二〇二一，五（三），一九三―一九七．
（20）エーシー・ファクス株式会社「Ｗｅｂ公開「会社技報」リンク先一覧」http://www.acfax.co.jp/side/link/gihou.html（参照二〇二二―〇八―〇六）．

（21）J-STAGE. https://www.jstage.jst.go.jp/（参照二〇二二―〇二―一七）.
（22）J-STAGE『デジタルアーカイブ学会誌』https://www.jstage.jst.go.jp/browse/jsda/-char/ja/（参照二〇二二―〇二―一七）.
（23）時実象一「引用文献リンクプロジェクトCrossRef――「情報検索」から「情報リンク」へ」『情報管理』二〇〇〇. 四三（七）, 六一五―六二四.
（24）時実象一「研究者登録システムORCID」『薬学図書館』二〇一四, 五九（二）, 一二〇―一二五.
（25）住本研一・余頃祐介「デジタルアーカイブに対するDOI活用の可能性」『デジタルアーカイブ学会誌』二〇一八, 二（二）, 一五二―一五三.
（26）「デジタルアーカイブにおけるDOIなどの永続的識別子の利用」『デジタルアーカイブ学会誌』二〇二〇, 四（二）, 二三七―二四〇.
（27）国立国会図書館デジタルコレクション. https://dl.ndl.go.jp（参照二〇二〇―〇三―一六）.
（28）新日本古典籍総合データベース. https://kotenseki.nijl.ac.jp/（参照二〇二〇―〇三―一六）.
（29）御厨貴「ラウンドテーブル「デジタル公共文書を考える――公文書・団体文書を真に公共財にするために」基調講演「ガバナンスにおけるデジタル公共文書の意義」」『デジタルアーカイブ学会誌』二〇二一, 五（二）, 七六―八〇.
（30）「沖縄密約」半世紀　九〇歳の西山太吉さんが語ったこと【news深掘り】. JIJI.COM. 二〇二二―〇四―〇四. https://www.jiji.com/jc/v4?id=202204nishiyamajiken-newsfukabori0001（参照二〇二二―〇八―一〇）.
（31）「公文書廃棄、七三年前も　敗戦の霞が関に何日も炎と煙が」朝日新聞. 二〇一八―〇八―一三. https://digital.asahi.com/articles/ASL8565LPL85UTIL01R.html（参照二〇二二―〇八―一〇）.

（32）　エル・ライブラリー．https://shaunkyo.jp/（参照 二〇二二―〇八―一〇）．

（33）　梅原康嗣・村上由佳「国立大学からの民事判決原本の移管完了について」『北の丸』二〇一二，（四四），一三九―一五四．

（34）　デジタルアーカイブ学会．ＳＩＧ「戦争関連資料に関する研究会」．http://digitalarchivejapan.org/bukai/sig/warmaterials/（参照 二〇二二―〇七―二四）．

（35）　国立長崎原爆死没者追悼平和祈念館．「第11回体験記企画展「浦上の記憶」」．https://www.peace-nagasaki.go.jp/11th-exhibition（参照 二〇二三―〇一―二九）．

（36）　広島平和記念資料館．「被爆体験講話をご視聴いただけます」．二〇二二―一〇―〇三．https://hpmmuseum.jp/modules/news/index.php?action=PageView&page_id=196（参照 二〇二三―〇一―二九）．

第6章　おわりに　デジタルアーカイブの周辺

6—1　記録と保存

(1) 長期的保存とはどういうことか

人類が残した記録としてもっとも古いものは、スペインのアルタミラ洞窟壁画（約一万八〇〇〇年前）、フランスのラスコー洞窟壁画（二万年前）などの洞窟壁画であるが、近年はスペインのエル・カスティージョ洞窟で六万五〇〇〇年以上前のもの（図6―1）が、インドネシアのレアン・ブルシポン四洞窟で四万四〇〇〇年前のものが見つかっている。これらの壁画の一部または全部は、何と現生人類ではなく、すでに絶滅したネアンデルタール人またはクロマニヨン人が描いたものと想定されている。この洞窟の壁という素材は、風雪にさらされることがなく、人に荒らされない限り何万年も保存に耐えることが実証された。

一方、文字で書かれた記録で最も古いとされているのが、約五〇〇〇年前シュメール人が使っ

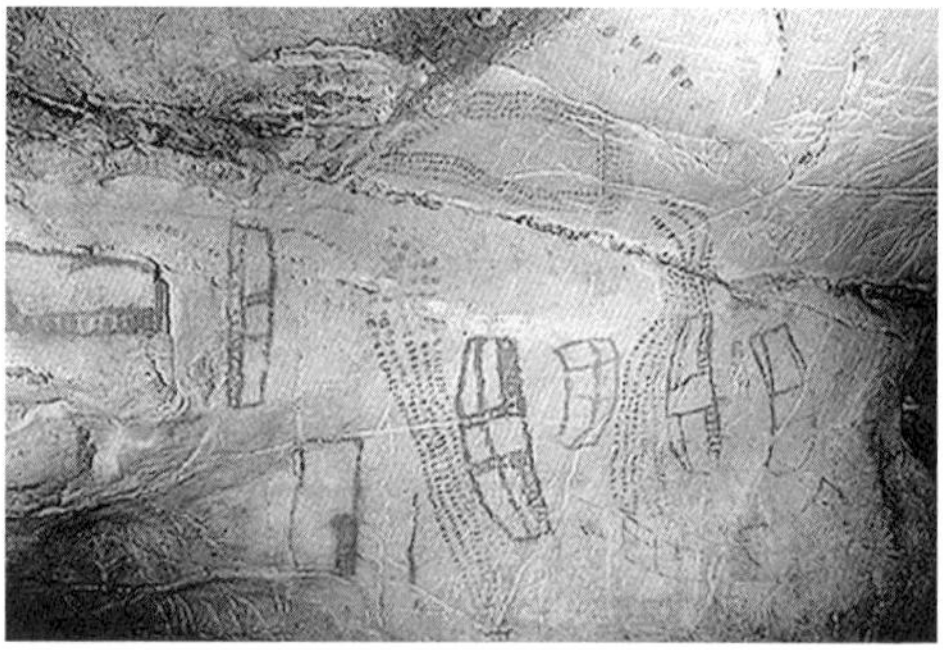

図6-1　スペインのエル・カスティージョ洞窟の壁画（Wikimedia Commons）（https://commons.wikimedia.org/wiki/File:Cueva_el_Castillo_12.jpg）（CC BY 3.0）

た楔型文字である。これは粘土板に書かれたものである。中国では、亀の甲羅や木片などに字を書くことが始まり、その後紀元前二世紀ごろに紙が発明された。エジプトではパピルスという草を使ったパピルス、中世のヨーロッパでは羊皮紙などが使われた。これら記録するための素材はさまざまであるが、壊されたり、焼けたりしない限り、書き記された記録は何千年も保存されている。とくに利便性に優れた紙という素材は、現在も記録素材の王者といえる。文字を書くために、中国では墨、ヨーロッパではインクが用いられたが、これらの耐久性は証明されている。近代印刷術の発明により、印刷インクが発明されたが、これらは化学製品であるため、耐久性が少なく、日光にあたると色あせるものも使われている。

そして、近年になってさまざまな新たな記録方法が発明された。特筆すべきはフランス人ルイ・ジャック・マンデ・ダゲールが一九三九年に発明したダゲレオタイプ、つまり銀塩写真である。これにより、風景や人物の肖像が容易に記録できるようになった。

この記録支持体としては、当初ガラス板が使われたが、その後ニトロセルロース、酢酸セルロースなどを経て、最近はポリエチレンテレフタレート（ＰＥＴ）に落ち着いた。銀塩記録は比較的安定しており、一〇〇年を超えた写真でも、退色はあるものの閲覧可能である。さらにリュミエール兄弟の映画の発明により、動画が記録できるようになったことも大改革であった。

さらにエジソンのフォノグラフの発明により、音も記録できるようになった。音はレコードに掘られた溝として記録されるので、レコード自体が破壊されない限り相当の年月保存できる。

一九九〇年代になり、デジタルカメラが出現する。さらにiPodなどデジタル録音、デジタルビデオの出現により、記録方式と記録媒体は大変革の時代に入った。二〇〇〇年代になり、本も電子書籍の時代に入りつつある。

こうしたデジタルの記録は長期保存できるのだろうか。この問題にはいくつかの論点がある。

（2）記録媒体

デジタル記録の媒体はどんどん変化している。コンピュータが発明された当初は紙テープ、紙カードが用いられ、その後磁気テープ、磁気ディスク、半導体メモリと発展してきた。現在一般の利用者が用いている磁気ディスクの寿命は五年、メモリーカードのようなフラッシュメモリは一〇年、ブルーレイ、ＤＶＤ、CD-ROMなどの光ディスクは長くて三〇年といわれる。ＰＣのディスクがクラッシュしてデータが全滅するという事故は、誰もが一度は経験しているだろう。デジタルアーカイブにおいて長期的にデータを保存する媒体としては、現在LTO（Linear Tape Open）と呼ばれる磁気テープが主流であるが、一部光ディスクも用いられている。またAWSなどのクラウド・サービスも広く用いられているが、いずれもコストが課題である。

データの損失を防ぐには、どんどん次の媒体にコピーしていくしかないが、個人でそれを実践している人は極めて少ないとみられる。またネットに保存することも一案であるが、これもネットの保存先がクラッシュしたらおしまいである。またネット情報は保存した当人が亡くなったら回収不能となる可能性がある。

多くの写真や動画がスマートフォンに保存されている現在、そのスマートフォン機種変換の際には、その写真や動画は捨てられることが多いのではないか。スマホのデータをPCやネットにバックアップしている利用者はごく一部であろう。まして、プリントして紙のアルバムを作成している利用者など最近は皆無と思われる。こうしてスマホが普及した二〇一〇〜二〇年代は、「個人の記録が残らない」時代となったということもできる。

（3）OSやアプリケーション

紙や銀塩写真に記録された文字や画像は、目が不自由でないかぎり誰でも読み、理解することができる。またレコードの溝に記録された音声もレコード針と拡声器を用意すれば手で回して聞くことができる。映画フィルムもレンズと光があれば投影して何とか見ることは可能である。つまりこれら昔の媒体は、仮に電気が失われてもある程度閲覧が可能である。

一方デジタルのデータは、そもそも目で見ることはできず、仮にそのビット列が見えてもひとには理解すること不可能である。これを人間が理解できる形にするには、データを読んで解釈し、表示するアプリケーションが必要である。また、こうしたアプリケーションがコンピュータの上で作動するには、オペレーション・システム（ＯＳ）が必要である。

ところが、こうしたアプリケーションやＯＳはどんどん更新され、そのうち過去のデータには対応しなくなる。最近ネットで話題となったのは、一時期デジタルアーカイブのサイトで広く使われたＦＬＡＳＨのサポートがなくなり、ＦＬＡＳＨを使っていた動画サイトが一斉に閲覧できなくなったことである。

このようなことを防ぐため、データは「アプリケーションに依存しない形で保存する」ことが好ましい。たとえば表計算データはMicrosoft社のExcel形式でなくｃｓｖ形式で保存・公開することが推奨されている。ｃｓｖはテキスト・データなので、どんなコンピュータでも読むことができる。

データでなくアプリケーションの場合はかなり難しい。先にゲームの保存の節でも触れたが、

図6-2　筆者のiPhoneに残っているいる動かないアプリ、いまやほとんどが動作しない

各種ゲームの動態保存は難しい。筆者の持っているiPhoneには、初代からのアプリが残っているが、タップすると「アップデートの必要があります」とのメッセージが出る（図6―2）。それはこのアプリが現在のOSに対応していないためである。

そこでアップデートしようとすると、そのアプリがストアに見つからないことが多い。つまり製作者は新しいOSに対応することを放棄して撤退してしまったのである。こうして、多くのアプリが世の中から消えてしまう。

（4）データの紛失、損失、損傷、ロック

戦時下のウクライナでは図書館などが砲撃で破壊されている。当然そこにあるコンピュータのサーバが破壊され、データが失われることになる。平時であっても、コンピュータのサーバ更新時には、前のサーバに保存されていたデータが失われることが多い。さらに自治体などで、前の担当者が撮影した写真やデータなど、その担当者が辞めたとたんにどこかにいってしまうこと

も多い。昔は写真という実体があったので、机の引き出しをかき回して見つかることがあったが、今はデジタルなので、担当者がいなくなると、まず見つけるのは不可能となる。以前米国のボストン公共図書館で古い写真のデジタル化を行っている担当者に話を聞いたことがあるが、「このディスクにデジタル化したデータがあるんだが、何をデジタル化したかわからないんだよ」といっていたのには驚いた。

インターネット・アーカイブの本部は米国サンフランシスコにあるが、二〇一二年七月インターネット・アーカイブ・カナダを開設した。その主目的はカナダのデジタルアーカイブの推進であるが、同時にインターネット・アーカイブのデータベースのバックアップも目的としている。二〇一七年一月にトランプ大統領が誕生したとき、ネットや情報の自由に制約がかかることを恐れた創業者のブリュースター・ケール氏が「カナダにバックアップセンター」を設立する、と述べたことがようやく実現したのである。

このように、デジタルのデータは極めて壊れやすく、取り扱いにくい。そのことを十分承知して対策を講じる必要がある。

6—2　オリジナルの保存

（1）インターネット・アーカイブのフィジカル・アーカイブ

サンフランシスコ国際空港からレンタカーで一時間たらず、サンフランシスコ市の北東に位置するリッチモンドはサンフランシスコの郊外住宅地である。二〇一一年六月五日の日曜日、その街はずれの倉庫街に車を乗りつけると、すでにオープン・ハウスは始まっていて、インターネット・アーカイブの所長ブリュースター・ケール氏に迎えられた。

インターネット・アーカイブはこの日フィジカル・アーカイブのお披露目を行った。[1] これは本を物理的に長期に保管するためのもので、二年間のプロトタイプ開発とテストの後に実施することとなった（図6—3〜図6—6）。当初は三〇万冊からスタートするが、いずれ数百万冊を保管する考えである。使わなくなった倉庫を利用して構築した。本に加えてビデオや音声テープなども保管する。これらはダンボール箱に収納され、コンテナに収められる。倉庫全体は空調が行われる。保管された本等は、カタログで管理される。プラスチックなどの梱包材は、湿度がこもる恐れがあるので使用しない。

・本には目録を作成し、本の情報と保存場所を記入した脱酸性紙のスリップを挿入した。
・各箱に約四〇冊を入れ、外にラベルを貼った。
・各パレットには二四箱を載せた。
・改造した四〇フィートのコンテナは温度四〇〜五〇度、湿度三〇％に管理される。
・倉庫の建物はコンテナと環境管理システムを貯蔵する。
・非営利の期間がこの施設と蔵書を所有し、保全する。

ここの収納する書籍は、すべてデジタル化が済んだものである。以下図6―3〜図6―6の写真は一部はケール氏のブログから、残りは筆者が撮影したものである。

所長のケール氏によれば、

デジタル化した後に物理的な本を保存する理由は、それが将来とも依拠すべき真正で本物の

図6-3　インターネット・アーカイブのフィジカル・アーカイブ 本にはスリップをはさみ、段ボール箱に収める

図6-4　箱は重ねて、コンテナに収容する

図6-6　空調付きの倉庫に収納される

図6-5　コンテナは2段重ね

版であるからである。もしデジタル化した版について疑義が生じたら、元の版を参照しなくてはならない。スバールバル世界種子地下貯蔵庫のような種保存銀行は、現在栽培している穀物の真正で安全な種を保存している。デジタル化した本の物理的な版も、将来いつか参照されることのある真正で安全なものとして考えなくてはならない(1)。

インターネット・アーカイブでは、各図書館で不要となって除籍された本を寄贈してもらい、デジタル化したのちにこのフィジカル・アーカイブで保存する仕組みである。最近では、ニュージーランドの国立図書館が所蔵する外国書籍のうち、除籍対象となった六〇万冊をインターネット・アーカイブで無償贈与することとなった。インターネット・アーカイブはこれらをデジタル化し、インターネット・アーカイブが運営するOpen Library(2)で公開する。ただし、著作権者から削除の要望があれば、削除する。

(2) 震災遺構を保存しよう

二〇一三年の夏、車で三陸の被災地をまわった。南三陸町では、鉄骨だけになった防災庁舎を見て、ここまで逃げても助からなかった方々の恐怖を思い、気仙沼では陸に残された「第18昭徳丸」を見て、津波の強大な力に戦慄を覚えた(図6―7、図6―8)。最近これら震災遺構は続々と解体・撤去されつつある。おそらく近いうちに、津波の記憶を残すものはすべて消し去られる可能性がある。震災にあわれた方々、遺族の方々にとっては、これらを目にすることが耐え難い。気仙沼市でアンケート調査を行ったところ、回答の七割が保存に反対であったという。しかし、広島市の原爆ドームがそうであるように、こうした遺構は、百のことばよりも饒舌に歴史を語り、死者を弔うのである。これこそ国がイニシアチブを取って保存に努力すべきではないか。

図6-7　東日本大震災の津波で陸にあがった漁船第18共徳丸、その後解体撤去された（筆者撮影）

図6-8　東日本大震災の津波で骨組みだけ残った三陸町防災庁舎、2022年8月現在解体されていない（筆者撮影）

6—3　アーカイブとフェイク

図6-9　宝島社の新聞広告（https://tkj.jp/company/ad/2019/img/img_201901_02.pdf）

デジタルの画像や動画が増えるにつれ、フェイクも増えている。ロシアのウクライナ侵攻でも数多くのフェイクが出回っている。

（1）すり替え

有名なすり替えとしては、アメリカによる一九九一年のイラク侵攻、いわゆる「湾岸戦争」のきっかけとなった、油まみれになった水鳥の報道写真がある。この写真は当時「イラクが油田の油を海に流したため、水鳥が犠

図6-10　ツイッターに投稿されたエマニュエル・マクロンによるアマゾンの森林火災の写真と称するもの

牲になった」とマスコミで伝えられ、湾岸戦争の大義名分のひとつとなったものである。しかしそれが本当にその時の写真なのか、いまだに真偽が明らかでない図6—9はそのことを訴える宝島社の新聞広告である。ということは、これを戦争のいいわけに使った米国は何だったのか。

SNSの発達により、間違った写真、動画は瞬時に拡散される。アマゾンの森林火災は世界中の多くの人々の関心事であり、SNSでもその動画が多く投稿される。しかしその写真が間違っていたらどうなるか。二〇一九年八月にエマニュエル・マクロンという人がアマゾンの森林火災の写真と称するもの（図6—10）

をツイートし、俳優のレオナルド・ディカプリオ氏など有名人もこれを拡散した。しかし、その写真は実は一九八九年に撮影されたものだった。

似たような例としては、ローラ・ブラウンという女性が、二〇二〇年のオーストラリアの森林火災からカンガルーを助けたとされる動画が拡散された。カンガルーが恩人にすり寄っているという感動的な動画である（図6―11）。しかしこれは彼女が自然動物園を訪問した時の動画であり、森林火災とはまったく関係がない。本人が否定しているにもかかわらず、この動画は二六万件も拡散された。

図6-11　ローラ・ブラウンという女性が、2020年のオーストラリアの森林火災からカンガルーを助けたと称する動画

ロシアのウクライナ侵攻では、「アーニャおばあさん」という老女がソ連国旗を持ってウクライナ兵に近付いたところ、ウクライナ兵がそのソ連国旗を踏みつけたので、怒った、という動画がロシアで拡散され、ウクライナ軍に反対してロシアを支持する親ロシアのシンボルとして、ロシア国中あちこちで絵葉書・壁画や銅像が作られるという事態になった（朝日新聞デジタ

図6-12　「アーニャおばあさん」の壁画。Новочеркасские ведомости. 2022-04-27.（https:// novochvedomosti.ru/obshhestvo/don24- ukrainskaya-babushka-s-krasnym-flagom-priglashena-v-moskvu-na-den-pobedy/）（参照2022-06-19）（現在この記事は閲覧できなくなっているが、Wayback Machineには保存されている）

ル・二〇二二―〇五―〇七）（図6―12）。

英国BBC放送がこの老女を見つけ、インタビューをしたところ、彼女は戦争を支持していないという（BBC NEWS JAPAN. 2022-06-15）。「同じ国の人たちが死ぬのを、支持できるわけなどありません。私の孫やひ孫たちは、ポーランドに行かなくてはなりませんでした。私たちは恐怖の中で暮らしています」と語った。ではなぜ、ソ連の国旗を持って兵士らを出迎えたのか。それは誤解なのだと、アンナさんは言う。それは食べ物を渡してくれたウクライナ兵二人を、ロシア兵だと勘違いしたのだと。「ロシア人が来て、私たちと戦わないことがうれしかったんです。私たちが再び団結するのがうれしかったんです」

（2）いいがかり

ウクライナ戦争では、これまでの紛争と異なり、数多くの写真や動画がネットで拡散されている。キーウ郊外ブチャにおける民間人の虐殺についての写真や動画がある。ロシアはこれらの写真や動画が捏造である、と主張している。たとえば、遺体が道路に散乱しているように見られる写真や動画について、これらはロシアが撤退したのちに撮られたもので、ウクライナの捏造だと主張した。しかし、実際にはロシアの撤退（二〇二二年三月三〇日）より前の三月一九日に撮影された、米宇宙技術会社マクサー・テクノロジーズ衛星画像を見ると、物体が現場写真と同一場所にあることが確認され、捏造との主張は退けられている（AFP BB News. 2022-04-06）。

（3）ディープフェイク

顔（人）のすげ替えは、トム・ハンクス主演の映画『フォレスト・ガンプ／一期一会』で故ケネディ大統領とハンクスの握手シーンが合成されたことで有名になった（図6―13）。

その後AIの急激な進歩により、動画の顔や声のすげ替えがこれまでになく容易になっている。これら捏造動画は「ディープ・フェイク」と呼ばれ、これらは

図6-13　映画『フォレスト・ガンプ／一期一会』でトム・ハンクスと故ケネディ大統領が握手するシーン

ドローンで撮影された静岡県の水害。
マジで悲惨すぎる...
2022年09月26日 4:39 · Twitter for Android

図6-14　AIで作成した静岡県の水害のフェイク画像

一見しただけでは、本物との見分けがつかない。「ディープ・フェイク」制作を請け負うサイトも存在し、[3] ネット上には、映画スターや歌手の顔を埋め込んだポルノ動画も流れている。

二〇二二年三月一八日、フェイスブック上で、ウクライナのゼレンスキー大統領が市民に投稿を呼びかけるフェイク動画が公開されたので削除したと伝えられた（YAHOO! JAPANニュース、二〇二二―〇三―一九）。この動画自身は質が低いと伝えられたが、今後さらに精巧なものも出現する恐れがあり、選挙や国民投票のような短期決戦の場でディープフェイクが使われると、一時的に相手に打撃を与えることができるので、その影響が懸念される。

最近Stable DiffusionなどＡＩ画像生成ツールがネットで簡単に利用できるようになった。適当なキーワードを入れると、それに合った画像を作成してくれる。二〇二二年九月の台風一五号の豪雨被害に関連し、「静岡」「水害」などと入力して作成した画像を、「ドローンで撮影された静岡県の水害。マジで悲惨すぎる…」とコメントしてツイッターに投稿したという事件があった（図6―14）。よく見ればフェイクとわかるのだが、五〇〇〇回以上リツイートされてしまった。[4]

（4）どうすべきか

SNSでは、写真や動画の真偽を確認することは難しく、容易にフェイクのようなことが起きる。我々としては、安易にリツイートするのではなく、その写真・動画の出所についてきちんと調べる必要がある。

デジタルアーカイブにもさまざまあり、公共的な機関、博物館や美術館が公開している画像や動画はおおむね信頼できる。それがジャパンサーチのようなポータルが推奨される理由の一つである。また、東京大学渡邉英徳教授のウクライナ戦争3D画像プロジェクトのような、多数の専門家が関わって検証しているデータは信頼性が高い。一方ウェイバック・マシーンのように、単にウェブページを保存しているアーカイブでは、個々のページの信頼性が担保されているわけではない。信頼性はあくまで、コンテンツの性格や製作者の信頼度にかかっている。

6—4　改革される著作権法制

（1）著作権とは

著作権法では

（定義）
第二条
一　著作物　思想又は感情を創作的に表現したものであつて、文芸、学術、美術又は音楽の範囲に属するものをいう。

とされており、また著作物の例としては、

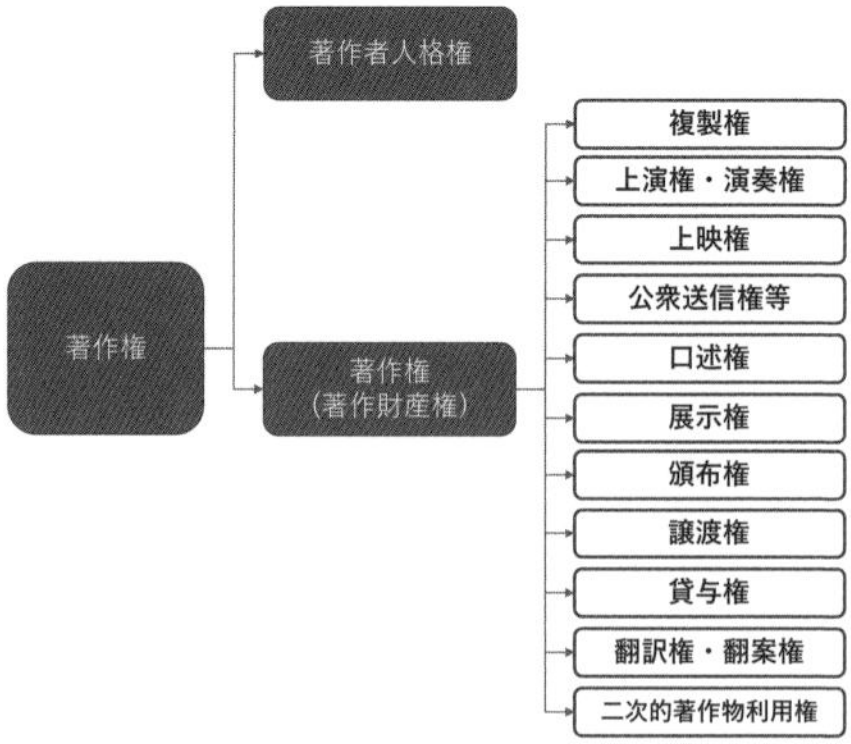

図6-15　著作権に生ずる権利

（著作物の例示）
第十条　この法律にいう著作物を例示すると、おおむね次のとおりである。
一　小説、脚本、論文、講演その他の言語の著作物
二　音楽の著作物
三　舞踊又は無言劇の著作物
四　絵画、版画、彫刻その他の美術の著作物
五　建築の著作物
六　地図又は学術的な性質を有する図面、図表、模型その他の図形の著作物
七　映画の著作物
八　写真の著作物
九　プログラムの著作物

があげられている。
著作権法で保護されている権利は図6—15のようになる。

表6-1　主な権利制限規定（南亮一氏の表を基に一部変更点を修正[5]）

名称	根拠条文	具体例
私的使用のための複製	30条1項	ビデオ録画、模写、コンビニコピーなど
検討の過程の利用	30条の3	許諾等の検討の過程での著作物の利用
図書館等における複製	31条1項	コピーサービス、保存のための複製など
引用	32条1項	批評や紹介のために文章や絵などを掲載
授業のための複製	35条1項	学校の授業の教材にするための複製
点字による複製等	37条1・2項	点字図書や点字データの作成、送信
視覚障害者等への複製等	37条3項	録音図書・拡大本等の作成、ネット配信
非営利・無料の上映等	38条1項	非営利・無料による演奏・口述・上映など
非営利・無料の貸与	38条4項	非営利・無料による貸出し
裁判手続等における複製	42条	裁判手続、特許行政、薬事行政などのための複製
翻訳・翻案による利用	47条の6	権利制限の対象行為に翻訳・翻案を追加
複製物の譲渡	47条の7	権利制限規定の目的内で譲渡OK

（2）利用許諾と権利制限規定

著作権というのは非常に強い権利である。著作物を利用しようとする人は、あらかじめ著作権者の許諾を取ることが原則であり、著作権者は相手がたとえ公的機関であろうと、利用を禁止することができる。しかし利用者の便益も考慮し、日本の著作権法では、個人の私的な使用や公共性の高い一定の利用方法については、その権利を「制限」して、許諾なしでの利用を認めている。

なお、「権利制限」とは、「著作権者の権利」を制限するものであり、利用者から見れば自由に利用できる範囲が広がることになる。

主要な権利制限規定は表6—1のとおりである。

著作物等の保護期間延長の概要

種類		現行法		改正後
著作物	原則	著作者の死後50年	→	著作者の死後70年
	無名・変名	公表後50年		公表後70年
	団体名義	公表後50年		公表後70年
	映画	公表後70年		公表後70年
実演		実演が行われた後50年		実演が行われた後70年
レコード		レコードの発行後50年		レコードの発行後70年

図6-16　TPP11協定発効に伴う著作権保護期間の延長(文化庁のページの図を修正。https://www.bunka.go. jp/seisaku/chosakuken/hokaisei/kantaiheiyo_chosakuken/1411890.html)

（3）近年の著作権法改正

著作権には保護期間という仕組みがあり、一定の期間を過ぎると、これら権利の保護が消滅する。日本の保護期間は欧米諸国に比較して短く、「青空文庫」などのデジタルアーカイブでは、この恩恵を享受してきた。一方著作権団体などは欧米並みの延長を主張し、大きな論争となっていた(6)。ところが、二〇一八年一二月三〇日、「環太平洋パートナーシップに関する包括的及び先進的な協定（TPP11協定）の発効に伴う著作権法改正」により、丁寧な議論なしに延長が行われたことは残念である。延長のまとめは図6—16のとおりである。

一方で近年様々な著作権法の改定が行われ、この保護期間延長を除けば、デジタルアーカイブを容易にする方向に進んでいる。これを表6—2にまとめた。重要な改正点は次のとおりである。

表6-2　最近の著作権法改正のまとめ（文化庁「最近の法改正等について」より作成（https://www.bunka.go.jp/seisaku/chosakuken/hokaisei/index.html）

改正年	改正点	改正の要点
2009年（平成21年）	インターネット情報検索サービスを実施するための複製等	情報検索サービスに必要な行為は、著作権者の許諾を得なくても可能
	権利者不明の場合の利用の円滑化	実演家の所在不明の場合にも裁定制度を適用、要件（相当な努力）を明確化、供託金により裁定結果が 出る前でも暫定的な利用を認める
	国立国会図書館における所蔵資料の電子化	国立国会図書館においては、所蔵資料 を納本後直ちに電子化できる
	インターネット販売等での美術品等の画像掲載	商品画像の掲載を権利者の許諾なし に行える
	情報解析研究のための複製	コンピュータによる情報解析を目的とする場合には、必要と認められる限度で、著作物の複製ができる
	送信の効率化等のための複製	キャッシュサーバーやバックアップサーバーなどにおける情報の蓄積は、著作権侵害とならない
	電子機器利用時に必要な複製	電子機器の利用時に技術的処理過程で必要となる情報の一時的な蓄積行為は、著作権侵害とならない
	違法な著作物の流通を抑止	海賊版と承知の上で行う販売の申出（広 告行為）を権利侵害とする、違法なインターネット配信による音楽・映像を違法と知りながら複製することを私的使用目的でも権利侵害とする
	障害者の情報利用の機会の確保	デジタル録音図書（デイジー図書）等の作成や、放送番組のリアルタイム字幕の作成・送信などの主体を公共図書館にも拡大

改正年	改正点	改正の要点
	国立国会図書館法の一部を改正する法律」に伴う著作権法改正	インターネット資料の記録による収集が可能に
2012年（平成24年）	いわゆる「写り込み」（付随対象著作物としての利用）等に係る規定の整備	
	国立国会図書館による図書館資料の自動公衆送信に係る規定の整備	絶版等資料について、図書館等に対して自動公衆送信を行うことができる
	公文書等の管理に関する法律等に基づく利用に係る規定の整備	国立公文書館の長等は、公文書等の管理に関する法律等の規定により、著作物等を公衆に提 供すること等を目的とする場合には、必要と認められる限度において、当該著作物等を利用できる
	著作権等の技術的保護手段に係る規定の整備	暗号型技術（DVDなどに用いられている技術）についても技術的保護手段として位置づける
	違法ダウンロード刑事罰化に係る規定の整備	私的使用の目的でも、有償で提供等されている音楽・映像の著作権等を侵害する自動公衆送信を受信して行う録音・録画を、自らその事実を知りながら行うこと（違法ダウンロード）は刑事罰の対象に
2014年（平成26年）	電子書籍に対応した出版権の整備	
	視聴覚的実演に関する北京条約の実施に伴う規定の整備	
2016年（平成28年）	環太平洋パートナーシップに関する包括的及び先進的な協定（TPP11協定）の発効に伴う著作権法改正	
	著作物等の保護期間の延長	保護期間は原則著作者の死後70年に、無名・変名および団体名義の場合は公表後70年に延長された

改正年	改正点	改正の要点
	著作権等侵害罪の一部非親告罪化	特定の要件に該当する場合に限り，非親告罪の対象とし，著作権者等の告訴がなくとも公訴を提起することができる
	アクセスコントロールの回避等に関する措置	アクセスコントロール技術を回避する行為自体が規制対象となる
	配信音源の二次使用に対する使用料請求権の付与	インターネット等配信音源を用いて放送又は有線放送が行われた場合についても，実演家及びレコード製作者に放送事業者等に対する二次使用料請求権を付与する
	損害賠償に関する規定の見直し	著作権者等は，当該著作権等管理事業者の使用料規程により算出した額を損害額として賠償を請求することができる
2018年（平成30年）	デジタル化・ネットワーク化の進展に対応した柔軟な権利制限規定の整備	ビッグデータを活用したサービス等※のための著作物の利用について、許諾なく行えるようにする
	教育の情報化に対応した権利制限規定等の整備	学校等の授業や予習・復習用に、教師が他人の著作物を用いて作成した教材をネットワークを通じて生徒の端末に送信する行為等について、許諾なく行えるようにする（補償金支払い）
	障害者の情報アクセス機会の充実に係る権利制限規定の整備	視覚障害者等が対象となっているが、肢体不自由等により書籍を持てない者も対象とする
	アーカイブの利活用促進に関する権利制限規定の整備等	美術館等の展示作品の解説・紹介用資料をデジタル方式で作成し、タブレット端末等で閲覧可能にすること等を許諾なく行えるようにする
2020年（令和2年）	リーチサイト対策	リーチサイト等を運営する行為等を、刑事罰の対象とする、リーチサイト等において侵害コ

改正年	改正点	改正の要点
		ンテンツへのリンクを掲載する行為等に民事上・刑事上の責任を問いうるようにする
	侵害コンテンツのダウンロード違法化	(音楽・映像に加え、その他の)違法にアップロードされたものだと知りながら侵害コンテンツをダウンロードすることについて、私的使用目的であっても違法とし、刑事罰の対象にもすることもある
	写り込みに係る権利制限規定の対象範囲の拡大	生配信やスクリーンショットを対象に含める
	行政手続に係る権利制限規定の整備(地理的表示法・種苗法関係)	
	著作物を利用する権利に関する対抗制度の導入	
	著作権侵害訴訟における証拠収集手続の強化	
	アクセスコントロールに関する保護の強化	
	プログラムの著作物に係る登録制度の整備(プログラム登録特例法)	
2021年(令和3年)	国立国会図書館による絶版等資料のインターネット送信	国立国会図書館が、絶版等資料のデータを、事前登録した利用者に対して、直接送信できる
	各図書館等による図書館資料のメール送信等	国立国会図書館や公共図書館、大学図書館等が、利用者の調査研究の用に供するため、図書館資料を用いて、著作物の一部分をメールなどで送信することができる(補償金支払)
	放送番組のインターネット同時配信等に係る権利処理の円滑化	「放送同時配信等」について、配信の期間(原則放送等から1週間以内)、番組内容の不変更、ダウンロード防止などを規定

①国立国会図書館等に関連する改正

・国立国会図書館における所蔵資料の電子化↓国立国会図書館においては、所蔵資料を納本後直ちに電子化できる（平成二一年（二〇〇九年）改正）

・国立国会図書館法の一部を改正する法律」に伴う著作権法改正↓インターネット資料の記録による収集が可能に（平成二一年（二〇〇九年）改正）

・国立国会図書館による図書館資料の自動公衆送信に係る規定の整備↓絶版等資料について、図書館等に対して自動公衆送信を行うことができる（平成二四年（二〇一二年）改正）

・国立国会図書館による絶版等資料のインターネット送信↓国立国会図書館が、絶版等資料のデータを、事前登録した利用者に対して、直接送信できる（令和三年（二〇二一年）改正）

・各図書館等による図書館資料のメール送信等↓国立国会図書館や公共図書館、大学図書館等が、利用者の調査研究の用に供するため、図書館資料を用いて、著作物の一部分をメールなどで送信することができる（補償金支払）（令和三年（二〇二一年）改正）

②検索データベース作成やデータ解析に関連する改正

・インターネット情報検索サービスを実施するための複製等↓情報検索サービスに必要な行為は、著作権者の許諾を得なくても可能（平成二一年（二〇〇九年）改正）

・情報解析研究のための複製↓コンピュータによる情報解析を目的とする場合には、必要と認められる限度で、著作物の複製ができる（平成二一年（二〇〇九年）改正）
・送信の効率化等のための複製↓キャッシュサーバーやバックアップサーバーなどにおける情報の蓄積は、著作権侵害とならない（平成二一年（二〇〇九年）改正）
・電子機器利用時に必要な複製↓電子機器の利用時に技術的処理過程で必要となる情報の一時的な蓄積行為は、著作権侵害とならない（平成二一年（二〇〇九年）改正）

上記①に関しては、「絶版等資料を個人に直接送信」できるようになったことが、国立国会図書館デジタル化資料の利用上大きな利便性の向上になったことについてすでに説明した。一方②では、Googleに対抗する日本の検索ツールを育てることが目的と思われる。この改正を活用した例としては、二〇二一年九月に公開された「LION BOLT法律書検索プラン」がある。[7]これは約三〇〇〇冊（一〇〇万ページ）以上の法律書や雑誌の全文をまとめて検索できるもので、「検索キーワードが「どの本」の「何ページ」に、「どんな文脈」で記載されているか」が瞬時に検索でき、弁護士や法律関係者には非常に重宝なものと思われる。このように、検索の目的であれば、著作権のある元の記事の許諾を得ずにデジタル化して検索提供できるという、画期的な改正である。今後も各分野での活用が期待される。

（4）クリエイティブ・コモンズ

ＮＨＫのＥテレ「旅するためのイタリア語」には、ミケランジェロのダビデとタビンチのモナ・リザがアニメ・キャラクターとして登場する（図6—17）。

これらの元作品は当然著作権の保護期間が終了しており、このように改変して自由に使うことができる（撮影者の権利が発生する場合はある）。宗教的なキャラクターの場合は問題化することもあるが、一般の人が眉をひそめるような使い方をしたとしても違法であったり損害賠償を求められることはない（ただし、日本には著作者人格権があり、甚だしい場合は人格権を侵害したとして著作者遺族に訴えられる可能性がある）。

図6-17　NHK Eテレ、ダヴィデくんとモナ・リザさん

著作権がまだ生きているキャラクターについて、日本ではコミケという同人出版文化があり、ここでは著作物の無許諾での二次利用が黙認されてきた。しかし、これは例外的であり、一般には無許諾で他人の著作物を複製したり改

表6-3　クリエイティブ・コモンズのモジュール

記号	モジュール名	略語	日本語訳	意味
	Attribution	BY	帰属	利用者は原著作者のクレジット(出典)を表示する
	Noncommercial	NC	非営利	営利目的での利用を禁止
	No Derivative Works	ND	派生禁止	作品の改変・変形・加工の禁止
	Share Alike	SA	同一条件許諾	改変・変形・加工した場合，その結果の作品は同一条件でのみ

変することはできない。
しかし、自分が撮影した特別な写真やイラストなどをウェブで公開して、それをダウンロードして活用してほしいという人は多い。職業的な著作権者でも、著作物そのものはどんどん配信してもらい、演奏会やグッズで収入を得ようとする人々も存在する[8]。先に紹介した米国の新聞漫画サイトGoComicsもそのようなビジネスモデルと考えられる。

一般に、著作権者にコンタクトして許諾を得るための手間とコストは膨大で、それが障壁となって再利用がされないことは多い。いちいち許諾を求めずに適正な条件のもとに再利用してほしいという著作権者の希望を実現するのがクリエィティブ・コモンズである[9]。

クリエィティブ・コモンズは、表6―3にある四つの要素（モジュール）の組み合わせからなる。このうち「帰属（BY）」は必須であるが、後はどれを組み合わせてもよい。デジタルアーカイブでは、出典表示のみを義務とするCC BYがよく使われるが、商業利用をされたくないばあいはNCが使われる。また、改変されたくない場合はNDとなる。SAは、改変された結果に対しては、元のCCライセンスと同じ条件を課すものである。

図6—18はJasonという人が撮影してflickrに投稿した、消失する前（二〇一三年一〇月一〇日）の首里城の写真であるが、CC BYの記号が右下に表示されている。

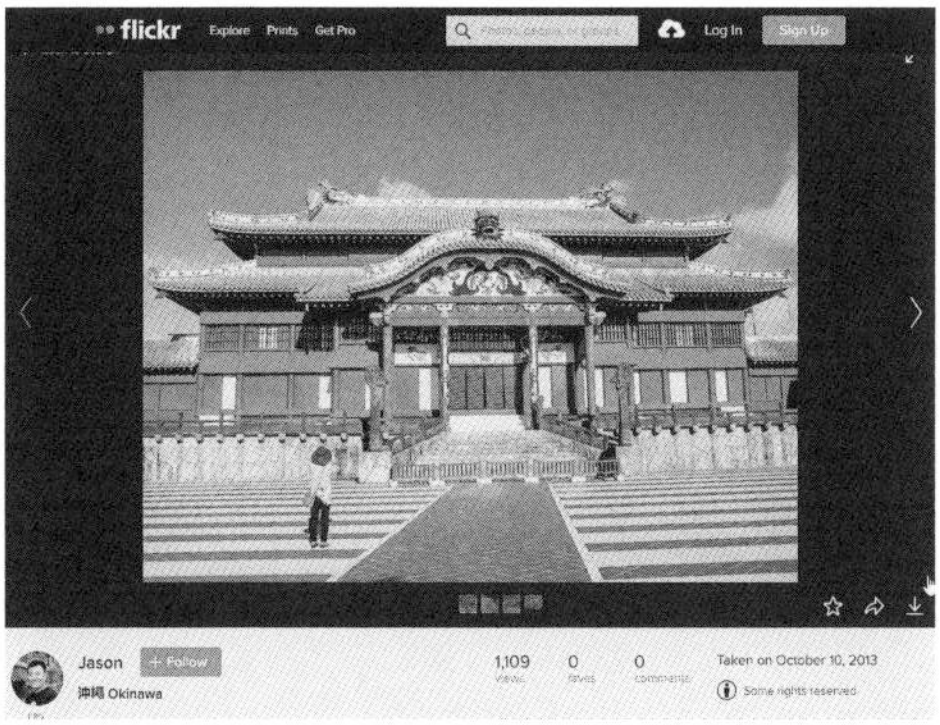

図6-18　CC BYの写真の例（https://flickr.com/photos/wangjs/11103694743/in/album-721576 3815 1195175/）

　ちなみに、デジタルアーカイブ学会が発行する「デジタルアーカイブ学会誌」で公開している記事のほとんどはCreative Commons 4.0 CC BYであり、出典を明示すれば自由にコピーや転載が可能である[10]（図6—19）。

図6-19　デジタルアーカイブ学会誌で各記事に付けられたCC BY表記

　さらに、著作権保護期間が切れた著作物はパブリック・ドメイン（PDM）と呼ばれ、自由に利用できる。デザイ

図6-20　パブリック・ドメインとされているデジタルアーカイブ・コンテンツの例（https://ja.wikipedia.org/wiki/%E3%82%A2%E3%82%A4%E3%83%8C%E7%B5%B5#/media/%E3%83%95%E3%82%A1%E3%82%A4%E3%83%AB:AinuBearSacrificeCirca1870.jpg）

ンとしての利用など商業的利用の場合も出典の表示は求められない。学術文献での利用には出典の明示が慣行となっているので、その場合はＣＣ ＢＹと実用上変わらない。たとえば図6―20のアイヌ絵は「パブリック・ドメイン」と明記されている。

内閣府知的財産戦略推進事務局による「デジタルアーカイブの連携に関する関係省庁等連絡会・実務者協議会」の二〇一七年四月の報告書[11]では、「（2）アーカイブの活用促進について」の項において、「メタデータのオープン化の推進」とともに、「コンテンツの利用条件表示の推進」を提唱している。さらに同時に発表された「ガイドライン」では、「サムネイル／プレビューの望ましい利用条件」および「デジタルコンテンツの望ましい利用条件」として、公的機関のものまたは公的助成により生成されたデータについてはクリエイティブ・コモンズによるＣＣ０（著作権放棄）、ＣＣ—ＢＹ（出所明示のみで自由に使用できる）、またはＰＤＭを推奨している。さらに留意点として、「二次元の作品を正面から撮影した場合や、三次元の作品であっても三面図的に記録した場合は、撮影者やデータ作成者の著作権は原則として認められない。」と、撮影にあたって新たな著作権が発生することを明確に否定している点が注目される。ただし「特定の角度、照明等により撮影者の芸術表現として撮影された写真等、撮影者の創作性が認められる場合は、撮影者の著作権の権利が発生する場合がある」ことにも触れている。

一方、デジタルアーカイブでは、古い写真など、権利関係が明らかでないものも多い。これらを公開する上では、ヨーロピアーナとＤＰＬＡが開発した「権利表明（Rights Statements）」の利用が役に立つと思われる。(12) たとえば、デジタルアーカイブにおける権利表示については筆者が整理した記事があるので参考にしていただきたい。(13)

なお、デジタルアーカイブを公開する場合に考慮する必要があるのは著作権だけではない。写真や動画に人が写っている場合、肖像権が問題となる可能性がある。そのため、東日本大震災のデジタルアーカイブでは、被災者やボランティアの顔が写り込んでいる写真を非公開にしたり、あるいはボカシを入れるなどの修正がほどこされていることが多い。これに対して、映っている人々から、なんで私の顔にボカシが入っているのか、何で公開してもらえないのか、などの苦情も来ていると聞いている。

デジタルアーカイブ学会では、肖像権への過剰な配慮を危惧して、「肖像権ガイドライン」を作成して公開した。[14] たとえば、一般の人でも公的・公開されたイベントで、公共の場所で、本人が撮影されたことを認識しているような写真、あるいは撮影後数十年が経過した写真はネットで公開しても問題が少ないといえる。このような種々の条件を点数で計算し、公開した場合のリスクを評価する仕組みである。多くのデジタルアーカイブ機関でこの「肖像権ガイドライン」の活用が進んでいる。

参考書籍
福井健策『著作権の世紀――変わる「情報の独占制度」』集英社新書．二〇一〇―〇一―一五．

福井健策『誰が「知」を独占するのか――デジタルアーカイブ戦争』集英社新書．二〇一四―〇九―一七．

福井健策『改訂版 著作権とは何か 文化と創造のゆくえ』集英社新書．二〇二〇―〇三―一七．

福井健策監修．数藤雅彦編集『権利処理と法の実務（デジタルアーカイブ・ベーシックス1）』勉誠出版．二〇一九―〇三―一五，二四〇．

注

（1）Internet Archive Blogs. Brewster Kahle. 2011/6/6. Why Preserve Books? The New Physical Archive of the Internet Archive. https://blog.archive.org/2011/06/06/why-preserve-books-the-new-physical-archive-of-the-internet-archive/（参照 二〇二二-〇八-二八）.

（2）Open Library. https://openlibrary.org/（参照 二〇二二-〇八-二八）.

（3）Online Deepfake Maker. https://deepfakesweb.com/（参照 二〇二二-〇六-一九）.

（4）YAHOO! ニュース. 二〇二二-〇九-二七.「偽AI画像で「静岡水害」拡散　投稿者、虚偽認める「技術試したくて」」. https://news.yahoo.co.jp/articles/85671ab3d6075549efe44b8dd1104d8d26ab81e1（参照 二〇二二-〇九-三〇）.

（5）南亮一「インフォプロのための著作権入門　第四回　著作権法の解釈をする前に——自由利用の表示・契約の確認」『情報の科学と技術』二〇一六、六六（四）、一七三-一七五.

（6）福井健策「著しく短縮して語る著作権延長問題の歴史と、これからどうなり、何をしていくのか」骨董通り法律事務所. 二〇一八-一一-〇二. https://www.kottolaw.com/column/181102.html（参照 二〇二二-〇七-二四）.

（7）Sapiens. LION BOLT（ライオンボルト）法律書検索プランを公開しました. https://sapiens-inc.jp/article/?id=255/（参照 二〇二二-〇七-二四）.

（8）Matthew Helmke. How the Grateful Dead were a precursor to Creative Commons licensing. Opensource.com. 2018-02-19. https://opensource.com/article/18/2/grateful-dead-precursor-creative-commons-licensing（参照 二〇二二-〇八-〇八）.

（9）クリエイティブ・コモンズ・ジャパン. https://creativecommons.jp/（参照 二〇二二-〇八-一三）.

（10）「デジタルアーカイブ学会誌 編集方針」『デジタルアーカイブ学会誌』二〇二二，六（二），一一五―一一六．
（11）デジタルアーカイブの連携に関する関係省庁等連絡会、実務者協議会及びメタデータのオープン化等検討ワーキンググループ「我が国におけるデジタルアーカイブ推進の方向性」，二〇一七―〇四．https://www.kantei.go.jp/jp/singi/titeki2/digitalarchive_kyougikai/houkokusho.pdf（参照 二〇二二―〇八―〇八）．
（12）Rights Statements. http://rightsstatements.org/en/（参照 二〇二二―〇八―〇八）．
（13）時実象一「デジタルアーカイブのライセンス表示についての動向」『デジタルアーカイブ・ベーシックス1 権利処理と法の実務』勉誠出版，二〇一九―〇三―一五，一七八―一九一．
（14）デジタルアーカイブ学会．肖像権ガイドライン．https://digitalarchivejapan.org/bukai/legal/shozoken-guideline/（参照 二〇二三―〇二―一九）．

あとがき

二〇一五年に『デジタル・アーカイブの最前線』（講談社）を書いてからすでに八年、その間この世界は大きく変貌した。なによりも二〇二〇年に勃発したコロナ禍や二〇二二年のロシアによるウクライナ侵略は、デジタルアーカイブの世界にも大きなインパクトを与えている。本書では、こうした世界の動向に対応するデジタルアーカイブの挑戦に目を向けつつ、その発展を展望することを目的として書かれている。

この間の大きな展開といえば、まず日本のデジタルアーカイブのポータルとしての「ジャパンサーチ」が二〇二〇年八月に正式公開され、ようやく世界の水準に追いつく足がかりができたこと、二〇一七年にデジタルアーカイブ学会が発足し、この分野に携わる人たちのコミュニティが生まれたことがあげられる。また技術的には、画像公開標準としてのIIIFが普及し、日本でも標準となったこと、ＡＩの進歩により、崩し字の解読や明治時代に遡ってのＯＣＲが可能となってきたこと、フォトグラメトリにより、資料、建築物、景観などの3D化が大幅に簡単になったことなどがあげられる。これらの環境や技術改革をこれからのデジタルアーカイブ化に活かしていくことが望まれる。

執筆にあたっては、多数の方のご助言・ご指導をいただいた。中でも東京大学の渡邉英徳先生、弁護士の数藤雅彦先生、早稲田大学坪内博士記念演劇博物館の中西智範氏、東京大学の大井将生氏には原稿を細かくチェックしていただいた。ここに厚く御礼申し上げます。

本書がデジタルアーカイブに興味を持つ人をひとりでも増やしてくれることを期待している。

二〇二三年一月

時実象一

著者略歴

時実象一（ときざね・そういち）

1944年生まれ。東京大学大学院情報学環高等客員研究員。専門はデジタルアーカイブ、学術情報、ウェブ検索、ウィキペディア。

主な著書に『研究者のコピペと捏造』（樹村房、2018年）、『コピペと捏造』（樹村房、2016年）、『デジタル・アーカイブの最前線』（講談社、2015年）などがある。デジタルアーカイブ学会理事。

デジタルアーカイブの新《しん》展《てん》開《かい》

2023年3月20日　初版発行

著　者　時実象一

発行者　吉田祐輔

発行所　㈱勉誠社
〒101-0061　東京都千代田区神田三崎町 2-18-4
TEL：(03)5215-9021(代)　FAX：(03)5215-9025

印　刷
製　本　中央精版印刷

ISBN978-4-585-30009-0　C0000

ライブラリーぶっくす
調べ物に役立つ図書館のデータベース

OPACやキーワードを使った検索方法、Webで使える無料のデータベースなど、図書館で使える便利なツールと、その使用方法を紹介した入門的ガイドブック！

小曽川真貴 著・本体一八〇〇円（＋税）

日本の図書館建築
建築からプロジェクトへ

「箱モノ」から、「有機的なモノ」へと変化を遂げている日本の公共図書館。全国各地の特色ある公共図書館をフルカラーで紹介し、図書館建築の歴史的流れをたどる。

五十嵐太郎・李明喜 編・本体三五〇〇円（＋税）

ライブラリーぶっくす
市民とつくる図書館
参加と協働の視点から

市民が図書館活動に参加・協働する状況を「市民とつくる図書館」と捉えて、関係者として携わった方々による具体的な取り組みを紹介する。

青柳英治 編著・本体二〇〇〇円（＋税）

ライブラリーぶっくす
専門図書館探訪
あなたの「知りたい」に応えるガイドブック

全国の特色ある六一の図書館を文章とカラー写真で案内。アクセス方法や開館時間、地図など便利な情報付き。知的好奇心を満たす図書館がきっと見つかる一冊！

青柳英治・長谷川昭子 共著／専門図書館協議会 監修
本体二〇〇〇円（＋税）